子どもへのまなざし

児童精神科医　佐々木正美

福音館書店

画　山脇百合子

子どものまなざし

目次

本書は、横浜市公私立保育園自主勉強会「佐々木セミナー」での講演をまとめたものです。

乳幼児期は
人格の基《き》礎《そ》を
つくるとき

私は幼稚園、保育園に直接でかけ、あるいは各地の市町村での、乳児保育、幼児保育をしている人たちとの勉強会に出席して、保育者や若い母親たちとよくおつきあいをしていますが、子どもたちが一〇人いますと、人を信じる力、そういう感情の豊かさや貧しさというのは、十人十色《じゅうにんといろ》であるということがよくわかります。そして人を信《しん》頼《らい》できるということが、豊かな人間関係をつくるための基本であり、それがいちばんよく育つのが乳幼児期だということです。

乳幼児期は育児のスタートであり、とてもだいじな時期だと思います。誕生からしばらくの間は、その人間の将来を大きく左右する、特別な意味がある時期だといえます。

新入社員のスタートもおなじです。最初に就職したところで、どのような職業的姿勢を教えられたかといったことは、その人の仕事にたいする、その後の基本的な態度を決定的に決めることになると思います。

私は医者ですが、大学の医学部を卒業して、最初に訓練をうけた病院できざまれた、医者としての基本的姿勢のようなものは、その後もずっと、ひきずってきているように思います。

スタートの時期にしくじったら、訂正《ていせい》不可能ということではありません。けれども訂正《ていせい》したり修正したりするには、多くのエネルギーや努力がいるということは、みなさん、おわかりになると思います。

ですから、みなさんにいま、この時期の子どもがいらっしゃったら、その子どもの

生涯《しょうがい》にとって、とても価値のある子育ての時期に立ち会っているのだと考えて、誇《ほこ》りと責任をもっていただきたいと思うのです。そして、できたら喜びや楽しみをもって、子育てをしていただきたいと思います。

子どもを育てるということは、なによりも基礎《きそ》がだいじなのです。基礎《きそ》のたいせつさということは、いろんなものにたとえてお話をするとよくわかります。私はしばしば建物にたとえて考えます。乳幼児の育児というのは、建物でいいますと、まさに基《き》礎《そ》工事です。大きなビルや自宅の一軒家《いっけんや》でもマンションでも、なんでもよろしいのですが、建物の基礎《きそ》工事です。

しっかりした土台に建てられた五重塔《ごじゅうのとう》

奈良の法隆寺《ほうりゅうじ》、薬師寺《やくしじ》の宮大工《みやだいく》だった西岡常一棟梁《にしおかつねかずとうりょう》が、『木に学べ』という本のなかで、「塔《とう》を大木《たいぼく》のようにしっかりたてるためには、地面がしっかりしてなくてはなりませんな。五重塔《ごじゅうのとう》は相輪《そうりん》頂上まで、三二メートルほど、総重量が百二十万キロもあるんですよ。これが千三百年も沈《しず》むことなくたっていたのは、がっしりとした基礎《きそ》づくりがあったんです。どうしたのかといいますと、塔《とう》の下にある地面にそのまま基壇《きだん》を盛《も》りあげるんではなくて、地面を、地山《じやま》といいまして固いしっかりとした層まで掘《ほ》りさげるんです。これは強く、しっかりした粘土層《ねんどそう》で地表から五尺《ごしゃく》（約一・五ｍ）ほ

ど下です。ここまで掘《ほ》りさげて、固い地山《じやま》の上に良質の粘土《ねんど》を一寸《いっすん》（約三cm）ぐらいつき固め、その上に砂をおいて、つき固めというのをくり返して地上から五尺《ごしゃく》上まで基壇《きだん》をつくりあげてあるんです。塔《とう》や堂はこうしたしっかりした土台の上にたっとるんです」とおっしゃっております。

記録にあるだけでも、四〇回以上の大地震《じしん》が近畿《きんき》地方にあったそうです。それでも、法隆寺《ほうりゅうじ》の五重塔《ごじゅうのとう》はいまでもしっかりと建っています。建物の例ひとつとっても、いかに基礎《きそ》工事がたいせつかということが、おわかりになったと思います。育児では、その基礎《きそ》工事が乳幼児期にあたるということを、よくわかっていただきたいと思います。

人間の基礎《きそ》をつくるだいじな時期

乳幼児期が基礎《きそ》工事のときで、その後の時期を、たとえていいますと小学校、中学校、高等学校、大学、あるいは大学院、留学などというのは、あとから造《つく》っていく建築の部分です。そういう意味から申《もう》しますと、小学校や中学校ぐらいが柱や床《ゆか》かもしれませんし、高校ぐらいになりますと外装《がいそう》の工事とか屋根の瓦《かわら》など、そんなものかもしれない。大学や大学院、留学なんていうのは、内装《ないそう》工事かもしれませんし、あるいはカーペットや家具かもしれない。まあ、こんなふうに思っていただくといいのです。

そうすると、みなさん、あとからやるものほど、やり直しがきくということが、お

わかりになるでしょう。カーペットなんか、あとからいくらだって、敷《し》き替《か》えができます。家具なんていうのも取《と》り替《か》えられるのです。ところが人の目にとまるのは、あとからやったところなのですね。基礎《きそ》工事なんていうのは残念ながら、建物が建ったときには、なにも見えなくなってしまうのです。けれども、しっかりした建物かどうかというのは、確かな基礎《きそ》工事なしには考えられないのです。

「A大学を卒業しました」、「B大学に留学しました」などというのは、ペルシャのじゅうたんのようなものですし、スウェーデンの家具みたいなものなのです。「すばらしいですね」というふうに、訪問者は感嘆《かんたん》しますし、おどろきますよ。しかし、そんなものは、いつだって取《と》り替《か》えができるのです。

ところが、基礎《きそ》工事に関心をもって、床《ゆか》をめくってみようなんて人はいないのです。そんなところにはだれの目も向かないですね。けれども、いちど事《こと》があったとき、基《き》礎《そ》工事がどれくらい建物の命運をけっするかということは、よくおわかりでしょう。修復不可能ということだってあると思います。

建物ならいったんこわして、更地《さらち》にしてもう一回建て直すということもできます。でも、人間はそうはまいりません。かたむきそうになった建物に、突《つ》っかい棒《ぼう》をしたり、いろんなことをして、それこそ腫《は》れ物《もの》にさわるようにして、そっとそっとこわれないようにしていくより方法がない、ということだってあるでしょう。

人格をつくるための乳幼児期の基《き》礎《そ》工事をしくじって、大人になってから問題が生《しょう》じてくるということは、とうぜんあるでしょう。今日《こんにち》、そういう大人、大人ばかりで

なく青少年も少なくありません。新聞や雑誌、本などで「○○症候群《しょうこうぐん》」という言葉がよく使われていますが、それだけ現代社会には、いろんな問題をもった人が多いのではないかと思います。

まず基礎《きそ》の部分をぬきにしたら、どんなにみごとなタイルを家のまわりに張りつけたところで、どんなに高級な瓦《かわら》をのっけたところで、外国直輸入のペルシャのじゅうたんや、スウェーデンの家具を家のなかに並べてみたところで、基礎《きそ》工事のあやふやな家なんて住めたものではありません。ひとたび台風や地震《じしん》にあったとき、すぐ修復不能の状態になってしまうわけです。

ところが、あとからやるものなんかは、たとえば瓦《かわら》が落っこちたって、りっぱな瓦《かわら》をのせ直すことはできますし、家具などだったら、いつだって取《と》り替《か》えることができるのです。それとおなじように、大学なんていくつだって入り直すことができます、やり直すこともできます。この大学やこの学科は、自分に合わなかったから中途退学《ちゅうと》して、「やっぱりあっちにいこう、こっちにいこう」と、いくつもの大学で学んだら、りっぱだといわれるかもしれません。

でも、「あのときちょっと不十分だったから、もういちど保育園に入り直そう」なんてことは、まずできないのです。家に帰って乳幼児のときの体験をやり直すということも、容易《ようい》にはできないのです。しかし、治療《ちりょう》上そうしたことを、どうしてもやり直さなければならないときが、現実に臨床《りんしょう》上あるのですが、大きな努力をしても、成果はかならずしも十分とはいえないものです。

やり直しがむずかしい乳幼児期の育児

そういう意味では、乳幼児期の育児にあたる、みなさんのやっていることは、どれほど意義の大きいことか。ひとりの人間の人格の基礎《きそ》を決定するのですから。どれくらい価値の大きいことか、あるいはどれだけ責任の重いことか、わかっていただきたいと思います。ひとつの大きなビルの、あるいはふつうの一軒《いっけん》の民家でもいいですが、基礎《きそ》工事を請け負《うお》うときの工事責任というのは、とても大きくて重いものなのです。本当に責任感のしっかりした人がやってくれないと、たいへんなことになってしまいます。

でも、そういう自覚がかならずしも、みなさんのなかにない場合があります。「大学の教育のような、あんな高等なことをやってるんじゃないのだから」と。まあ、けがをしないで病気をしないですめば、それでもう、だいたいいいのだなんて思っていらっしゃると、これはとんだことであります。大ちがいだろうと思います。大学の教育なんていくらでもやり直しがきくのです。別の大学に入り直すことだって、いくつもの学部を卒業することだって、いつだってできるのです。三〇歳になって、それどころか八〇歳になっても、高校や大学にいっている人もいるのですよ、それもりっぱな学生でいらっしゃいます。

ところが、一〇歳になってから保育園というのはないのです。三〇歳になって保育園や幼稚園に入るなんてことは、ぜったいにできません。勤めることはできますが、

保育園や幼稚園の生徒になることはできないのです、二度とできないことなのです。そして、この時期は人格の基礎《きそ》をつくるときなのです。

基本的なところで、子どもたちがどんな人格の人間になるのかということを、ほぼ決定するのが乳幼児期なのです。そういう時期の子どもの育児にたずさわっているという自覚をもつことが、保育者や幼児教育者には必要なことでしょう。

今日《こんにち》の思春期外来、あるいは思春期の精神医学にたずさわっている人たちが、しばしば、「むなしい」といいます。その時期の臨床《りんしょう》の仕事というのは「基礎《きそ》工事に手ぬきをした建物の修復をしている」、というようなところがあるからです。ですから、いかにたいへんな作業であり、そのわりには、成果をあげることがどんなにむずかしいかということなのです。子ども自身もたいへんな努力をするし、まわりの人もいろんな協力をするけれども、なかなか成果があがらないのです。そういう意味でも、乳幼児期の育児がいかにたいせつなことなのか、みなさん、おわかりになると思います。

一方、子どもにとっては、保育園や幼稚園時代の保母のだれさんや、だれ先生に、どのように育てられ、教えられてきたのかというようなことは、なかなか思い出せないものなのです。おそらく、子どもたちの心のなかには、具体的な固有名詞《こゆうめいし》でない残り方をしているものと思います。ですから、高校のときの、あの先生はどうだったとか、大学のあの先生は尊敬するとかいうふうに、具体的な固有名詞《こゆうめいし》として思い出に残るのは、あとでうけた親切や教育のことのほうが多いのです。しかし、思い出に残ったからといって、その仕事の価値が高いというのではないのです。固有名詞《こゆうめいし》として思

い出に残らなくても、人格の基礎《きそ》をつくる乳幼児の育児にたずさわることのほうが、私は非常に意味が大きいと思うのです。ですから、みなさん、親や子どもに感謝されるために仕事をしているのではないという、誇《ほこ》りと勇気をもって仕事にあたるということも、きわめて重要なことだと思うのです。

テレビの普及《ふきゅう》などで、最近は人目《ひとめ》につきやすい行為《こうい》の価値ばかりが、評価される時代になってしまいました。だからこそ、こういう基礎《きそ》をつくる仕事の意味がいっそう大きくなってきたと思うのです。

この乳幼児期の育児は、ひとことでいえば、子どもの要求や期待に、できるだけ十分にこたえてあげることです。せんじつめればそれだけのことです。しかし、それがなかなか十分にはできないのです。そして、子どもの要求にこたえてあげて、こちらから伝えたいことは、「こうするんでしょ、そうしちゃいけないんでしょ」と、おだやかに何回もくり返し伝えればいいのです。いらだったり、しかったりする必要はないのです。「いつできるかな、いつからできるかな」と、それだけのことで、だいたいいいのです。

ところが育児の失敗というのは、子どもの要求をうっかりみのがしたり、あるいはわざとサボタージュしたり、相手の要求を無視してしまうことです。そのくせこちらの要求や期待ばかりを、すぐ成果があがるように強制的な伝え方をしてしまう、そういうやり方の結果です。

親や保育者の希望ばかりを、子どもに強く伝えすぎてしまう、賞罰《しょうばつ》を与《あた》えるという

か、そういうやり方で、早くいい結果をだそうとする。あるいは、大人のほうが楽《らく》をしようとする。そういう育児がよくないのです。そして今日《こんにち》の日本では、こういう育てられ方をしている子どもが、多くなってきていると思います。家庭で育っている子どもにしろ、保育園や幼稚園で育っている子どもにしろ、そういうことが多いのだということは、私たちの認識《にんしき》としてたいせつなことだと思います。

くり返して申《もう》しますが、子どもを育てるということは、最高に価値のある、誇《ほこ》りのある仕事だと思います。なぜかというと、本当に価値のある仕事というのは、いまの時代とつぎの時代を生きる人たちが、よりよく生きることができるように、なにをするかということだと思うのです。つぎの時代を生きる子どもたちに、十分に愛されることの喜びを与《あた》えること、育児はそれで十分なのですね。人間は愛されることから、生きる喜びを感じはじめるのですから。

子どもをとりまく社会の変化

大きく変わった日本の社会

戦後の日本経済の発展はめざましいものがあります。とくに一九六〇年（昭和三五年）以降の高度成長は、日本の社会のさまざまなところで、大きな変化をもたらしました。

それ以前は、農業や漁業などの第一次産業に従事する人が中心の社会で、それぞれの地域社会には、昔ながらのつきあいが残っておりました。一九五〇年ころでも、就業人口の約二六パーセントは、まだ第一次産業の従事者でした。ちなみに製造業などの第二次産業は約三二パーセント、サービス業などの第三次産業は約四二パーセントという割合でした。

ところが、経済の高度成長をつうじて、第一次産業で働く人たちが、それまでの地域社会からはなれ都市に移り、第二次産業や第三次産業に勤めるようになったわけです。そして一九九三年には、産業別の就業人口にしめる第一次産業の割合は、約六パーセントにすぎなくなってしまいました。それにたいして、第二次産業は約三四パーセント、第三次産業は約六〇パーセントというように増加してまいりました。

これはどういうことを意味するかと申《もう》しますと、人口が都市に集中したのです。かつて、中学校を卒業した子どもたちが「金の卵」とよばれ、東京、大阪、名古屋などを中心に、集団就職で都市に移ってまいりました。そればかりではありません、大学生も都市の大学に入学する人が多くなってきたのです。そして、何年かたって、その

人たちが就職や結婚《けっこん》の時期になりますと、そのまま都市で就職をしたり、家庭をもったりしていくわけです。それとともに、それまで都市周辺に残っていた原っぱや森や小川なども、工場や学校や住宅地などになっていきました。そうして、子どもの遊び場であった場所が、どんどんなくなってきました。子どもをとりまく環境《かんきょう》も大きく変わったのです。

いままでの伝統的な家庭のありようは、家事や育児はおもに母親にまかされ、もっぱら父親が社会にでて仕事をするといった、役割の分担にあったと思うのです。ところが、第三次産業の発展は、女性に働く場所をたくさん提供しました。女性の働く場所がふえたことともに、電気冷蔵庫、電気洗濯機《せんたくき》など電気製品の普及《ふきゅう》で、さらに女性が仕事にでやすくなってまいりました。一九九四年現在で、女性の人口は約五、三六六万人ですが、そのうちの半分の女性、約五〇パーセントが働いております。そして、働く場所の五〇パーセントちかくはサービス業です。

なぜこういうことをお話したかといいますと、親たちの働く環境《かんきょう》、地域社会、家庭の変化が、いやおうなく子どもたちをとりまく環境《かんきょう》にも、大きな影響《えいきょう》を与《あた》えたからなのです。高度成長期以前の家庭では、親の両親と同居するという、いわゆる三世代家族の割合が多かったし、隣《となり》近所とのつきあいも、いまのように稀薄《きはく》ではありませんでしたので、育児も自分の両親だけでなく、隣《となり》近所の人にも支えられてきました。そこでは、育児について、なにか不安やわからないことがあれば、両親に聞いたり、隣《となり》近所の人に聞いたりして、ゆったりと安心して育児ができました。

家庭の変化は具体的な数字でもよくわかります。一九六〇年には、全世帯数の三三パーセントが三世代家族でありましたが、一九九〇年には一七パーセンに減少しました。一方、いわゆる核《かく》家族の家庭は、六六パーセントをしめるほどにふえてきました。このような家庭や社会の変化にともなって、それぞれの家庭が育児に大きな役割を、果たさなくてはならなくなってまいりました。今日《こんにち》では、それぞれの家族が、たがいに孤立《こりつ》し合ったまま、育児のほとんどすべてを、自分の家庭のなかだけでやらなくてはならないような時代になったようなところがあります。

すこし前にテレビのニュースで、東京郊外《こうがい》のニュータウンが、現在ではオールドタウンになってしまったということを、レポーターが報告していました。どういうことかといいますと、都市の人口の急増にともなって、東京の郊外《こうがい》に何万という人が住める住宅地をつくりはじめたのは、昭和四〇年代のなかばくらいからだったと思います。そして、そこにニューファミリーとよばれる人たちが、どんどん住みはじめました。ところが、いまでは、子どもたちは結婚《けっこん》して家をでていき、老年にさしかかった夫婦が中心になってしまったというのです。小学校も、生徒の数が減少してしまったため、廃校《はいこう》になるところもでてきたというのです。

たった数十年ぐらいの間で、こんなに変わってしまったのですね。これはひとつの例にすぎないと思います。けれども、たった数十年の間に、日本各地で人びとの住んでいる環境《かんきょう》が、こんなに変わってしまうということはおどろきですね。

大きな環境《かんきょう》の変化のなかで、私たちはいろんなところで、なんらかの影響《えいきょう》をうけて

生活してきました。現在の子どもをめぐるさまざまな問題も、そういう背景を無視することはできないと思うのです。子育て、育児にかんする用語や問題がはんらんしはじめたのは、昭和四〇年代のなかばころからでしょうか。高度成長をつうじて、地域社会も人間関係も家庭も大きく変わっていった時期に、子ども時代をすごした人たちが、いま、親になって育児不安をうったえているように思えてなりません。

子どもをめぐる諸問題は、いじめ、不登校、家庭内暴力、シンナー、覚醒剤《かくせいざい》、援助《えんじょ》交際、ひきこもりなど、年齢《ねんれい》を重ねるごとに、さまざまなあらわれ方をしております。それは、子どもだけの問題ではないと思います。現代の子どもも、そして親も、さらにその親の親のことも、考えていかなくてはならないことのような気がします。

現在、多くのお母さんが、育児不安についてうったえています。このことはどういうことなのかを、つぎに考えていきたいと思います。

乳幼児健診《けんしん》の調査でわかったこと

若いお母さんたちについていろんな調査をしました、ここ数年のデータがあります。最初にその一部をご紹介《しょうかい》して、そして、いろんなお話をしていこうと思います。

「厚生省科学研究《こうせいしょう》」というのがありますが、私は厚生省《こうせいしょう》から研究を依頼《いらい》されまして、おおぜいの保健婦さんや保母さん、保育園の園長先生たちに手伝っていただきながら、

横浜市内の乳幼児を育児しているお母さんを対象に、調査をさせていただきました。三千数百人の方にご協力をいただきましたが、その結果こういうことがわかりました。乳幼児健診《けんしん》におみえになるお母さんに、アンケートに答えていただいたのです。お母さんの気持ちは、つぎの項目《こうもく》のなかで、どれにあたりますかということで、○をつけていただくだけなのです。

アンケート結果によると、「私は育児にかんして、そんなに心配や不安が日常ありません」と答えたお母さんは、全体のたった三分の一です。みなさんのなかにお母さんがおいでになって、あるいは、これから育児をするという人がおいでになって、自分は育児にたいしての不安は、とりたててないという人がいたら、これは三分の一の少数派ですので、りっぱなものですね。

育児にたいして、仕事と両立させるのがたいへんであるとか、不安ではないが悩《なや》みがあるという人は、もちろんいるわけです。悩《なや》みがあるということと、不安というのは別なことなのです。みなさん、人生に悩《なや》みがないという人は、あまりいないかもしれない。けれども、不安でしょうがないというほどでは、ないと思うのです。ですから、育児にたいして悩《なや》みがないという人は、五分の一しかいません。残りの五分の四の人は、いろんな悩《なや》みをもっていらっしゃる。

それから、四か月健診《けんしん》、一歳半健診《けんしん》、三歳児健診《けんしん》でおいでになるお母さんで、育児のときに強いいらだちをいつも感じる、あるいは、ときどき感じるという人は、合わせますと七七・四パーセントなのです。

不安のあるお母さんが三分の二、悩《なや》みのあるお母さんが五分の四、強いいらだちを感じるお母さんは七七・四パーセントであります。しかも、子どもをもたないほうがよかった、この子はいらなかった、産まないほうがよかったと思うことがある、と答えたお母さんが、じつに三二・八パーセントもいるのです。

お母さんの三人に一人は、子どもはいらなかった、もつんじゃなかったと、ちょっと後悔《こうかい》にたような気持ちになることがあるのです。これは子どもにとっても、お母さんにとっても、非常に不幸なことですね。

育児不安をもつお母さん

よくにたようなことを、すこし別の角度から調査したこともあります。神奈川県衛《えい》生《せい》部母子保健課に、乳幼児育児指導委員会というのがありました。私もその委員を頼《たの》まれてまして、そのときにおこなった調査の結果があります。神奈川県内の横浜市と川崎市をのぞく地域の乳幼児健診《けんしん》で、保健所におみえになったお母さんたち、たいへんな数でありますが、三年間かけて、わりあい細かいアンケートをとりました。そのおおざっぱな傾向《けいこう》をみてまいりますと、こんなことがわかりました。

育児にかんしてさまざまな不安とか、いらだちをもっているお母さんが、たくさんいらっしゃるわけですが、どういう人たちに育児不安が多いかと申《もう》しますと、一般的《いっぱんてき》

にいいますと、まだお子さんが四か月とか生後一歳半とか三歳ですので、お母さんも若いのです。その調査の結果をみますと、二〇代のお母さんのほうが三〇代のお母さんよりも、不安とかいらだちが大きい。こういうことがまずひとつあります。

つぎに、これは年齢《ねんれい》とかかわりなく、いま住んでいるところでの、居住年数が短いお母さんのほうが、長く住んでいるお母さんよりも、不安やいらだちが大きいということがわかりました。

それから、住んでいる年数が短いとか、長いとかに関係なく、地域の人たちとの交際が「非常に積極的・積極的・普通・消極的・非常に消極的」という項目《こうもく》がありまして、お母さんにご自分が、どれにあたると思うかたずねました。そうしますと、自分では「消極的・非常に消極的」だと感じている人に、圧倒的《あっとうてき》に育児不安が多いということもわかってきました。

さらに、育児について悩《なや》みとか不安とか心配をもったときに、どのようにしてその不安などを解消しますか、ということも聞きました。そうしましたら、友人や知人、あるいは保健所の保健婦さんや近所のかかりつけの医者とか、実家の母親に相談するというふうに、人を頼《たよ》りにする人より、育児書や育児雑誌に不安解決の回答を求めようとする人のほうが、はるかに不安が大きいということもわかりました。

それから一般論《いっぱんろん》としては、これはいろんな人がいらっしゃいますが、専業主婦のお母さんのほうが、仕事をもっているお母さんよりも、育児不安は大きいということもわかってきました。これはちょっと、意外《いがい》な感じがしないでもありませんが、でも、

これはよくわかります。いまのお母さんは一日中、自分の子どもと向かい合っていられない。多くのお母さんは耐《た》えられないのです。仕事をもちながら育児をしていると、それだけ多忙《たぼう》になって、よけいにいらいらするだろうと思うのは逆でして、いまのお母さんは、子どもといっしょにいるほうが、はるかに疲《つか》れてしまう、いらだってしまう、いやになってしまうということがわかりました。

これは現代社会のひとつの側面で、人びとが多様なことに興味、関心、そして能力をもつようになったからです。一世代、あるいは二世代前の人たちは、興味や知識の幅《はば》がせまくて、あれこれやりたいことの関心も意欲もとぼしかったのだと思います。ですから、情報の少なかった時代の人は、自宅空間だけで子どもと向かい合っていることに、現代人のようなストレスは感じなかったのだと思います。もっとも、その当時の地域社会には、窮屈《きゅうくつ》さのなかにも豊かな人間関係がありました。

それから、お母さんの健康についても聞いてみたわけですが、ふだんから疲《つか》れやすいと感じるお母さんのほうが、病気で治療《ちりょう》をうけているお母さんよりも、育児不安やいらだちが大きいということがわかりました。ですから、健康状態が悪いという人よりは、疲《つか》れやすいと自分のことを感じる人のほうが、ぐあいが悪いのです。むしろ、本当に病気で、治療《ちりょう》をうけながら育児をしている人のほうが、自分は健康だと感じている人と、ほとんど差がないこともわかりました。いけないのは、疲《つか》れやすいということです。ですから、疲《つか》れやすいということは、精神的な健康の悪さかもしれません。

では、育児にかんして悩《なや》みとか不安があるときに、どのようなやり方でそれを解消

するのかということですが、育児書とか育児雑誌によって解決をはかるお母さんは、育児にたいしてマイナスの感情が大きいですね。人にたずねることをしません、実家の母親に聞くとか、夫に相談するとか、友達に聞くとか、近所の人で子どもが大きくなったお母さんたちに、「こんなとき、どうしたらいいのでしょうか」と、気軽に聞くことをしないお母さんたちです。

　ようするに、人間関係が少ないお母さんほど、極端《きょくたん》なことをいうと、育児が下手《へた》になるということです。居住年数が短いために、近所の人との交際が少ない人、そして友達が少ない若い人、心配なときにだれかに相談をするよりは、育児書や育児雑誌をみようとする人に、育児不安が大きいのです。専業主婦のお母さんで毎日、朝から晩まで家のなかにいる人のほうが、職場でいろんな人と交流をしている人よりも、育児不安をもつ人が多いのです。そういう不安の強い人は、じつは疲《つか》れやすいと自分でも感じているのです。

　ですから、人間というのは、人づきあいが少なくなればなるほど、あるいはできなくなるほど、不安が強くなり、いらだちが強くなり、疲《つか》れやすくなるということが、どうもあるようです。しかし見方《みかた》を変えますと、「人と会うことの不安」というものを、現代人は個人差はあっても、もうすでに心のどこかにもっていて、人と安心してコミュニケーションすることが、できにくくなっていると考えたほうがいいのかもしれません。一種の対人恐怖《きょうふ》ですね。不登校の子どもたちに会っていると、保健室の養護の先生にしか、くつろいで話ができないという生徒がいたりしますから。私たちは

しだいに、共感的なコミュニケーション機能を、失いつつあるのかもしれませんね。

夫との会話が育児不安を少なくする

そこで、もうすこしつっこんでみてみますと、どういう人がどういう状況《じょうきょう》のときに、育児がうまくいかなくなってしまうのかということですが、いくつかの要素があるようで、ひとつは夫との関係があります。

育児にかんして、夫、つまり子どもの父親の協力というか関係について、いくつかの調査がしてあります。子どもの父親が、育児を協力してくれると母親が感じている場合には、お母さんは疲労《ひろう》を感じにくい、いらだちも感じにくいということがはっきりわかります。それは夫に手伝ってもらう分《ぶん》だけ、手がはぶけて楽《らく》になると思えるからかもしれません。入浴を手伝ってくれる、おむつの取《と》り替《か》えを手伝ってくれる、泣いたらあやしてくれるとか、いろんな場面で、夫が育児に協力的に手伝ってくれる場合に、お母さんは疲労《ひろう》を感じにくい、いらだちを感じにくい、同時に不安も小さいのです。まず、こういうことが調査の単純集計でわかりました。

さらに、ここで興味深いことがわかりました。育児はほとんど手伝ってくれないが、日常の生活において、夫とのコミュニケーションに満足を感じているお母さんは、おなじように疲労《ひろう》を感じにくいし、いらだちにくいし、不安も感じにくいのです。です

から、具体的に育児そのものを手伝ってくれる、これはもちろんたいせつなことです。けれども、ほとんど手伝ってはくれないが、夫との日ごろのコミュニケーションに十分満足しているという母親と、夫が育児に協力してくれると感じているお母さんとでは、調査結果で読み取れるものには、ほとんど差がないということです。このことはとても興味深いことです。

ですから、少なくとも子どもの父親というのは、子どもの母親、つまり奥さんと十分にコミュニケーションをすることが、とてもたいせつなことのようです。育児そのものをじっさいに手伝えれば、それにこしたことはありませんが、奥さんと会話をすることも、たいへん重要なことなのです。

私たちは夫婦のあり方に満足していれば、疲労感《ひろうかん》が少ない、いらだちが少ない、不安が少ない、育児も上手《じょうず》になると、こういうことのようです。この関係は、じつは夫との関係以外にも、夫の実家との関係とか、自分の実家との関係とか、近所の友人、知人との関係とかが、多ければ多いほど、しかも、それらがうまくいっていればいるほど、おなじ効果をもつということも、調査結果は明らかにしてくれました。

これもさきほどの人間関係が豊かな人ほど、健康状態がいいし、育児にいらだちを感じにくいということなのです。ですから、あらためて私たちは、できるだけ人との関係に不安や疲《つか》れを感じないように、日々、心がけて生きるようにすることがたいせつなことだと思います。

育児不安とはなにか

お母さんたちは、具体的にどういうことに、育児不安をいだいているのでしょうか。新聞や保育雑誌などを読んでいますと、つぎのような三点にまとめられると思います。つまり、一つめは、よく雑誌などに子どもの体や行動の発達表などがのっていますが、そういうものと比較《ひかく》しながら、自分の子どもが思うように発達していない、そこに書かれているマニュアルどおりに、育児をやろうとしても、うまくいかないということがあります。

二つめに、夫との会話が少なく孤立感《こりつかん》を強くもっているということ。三つめは、働いていた女性が子どもを産んで仕事をやめ、いままでの会社の同僚《どうりょう》とも話す機会も少なくなり、また、たまに会っても、話が合わなくなり疎外感《そがいかん》を感じてしまうということ。これらの三つの要素がまじり合って、育児がうまくいかないことを、育児不安とよんでいるように思います。

では、なぜ現代のお母さんは、あるいは夫婦といってもいいかもしれませんが、育児が下手《へた》になったかということです。それは人間関係が下手《へた》になったからだと思います。ひとことでいえばそういうことなのです。親子関係だけを一生懸命《けんめい》やっても、親子の関係はうまくいかないし、育児の不安もなくならないのです。夫婦関係、近所の人との関係など、いろんな人間関係の一部が親子関係なのです。ですから、多様な人間関係ができる人のほうが、それだけ子どもとの関係も柔軟《じゅうなん》にできるでしょうし、育

児不安にもならないと思います。

人間関係は本来、おたがいが依存《いぞん》する関係にあると思うのです、相互《そうご》協力といってもいいと思います。夫婦関係、近所の人との関係、勤めをしながら育児をしている人は、職場の人たちとの関係。そういう関係のなかで、いつも自分は守られているし、自分も相手を守っているのだ、という気持ちで日々を生きている人は、自分の存在への不安も小さいと思います。

育児不安というのは、お母さんの自分の存在自体にたいする不安だと、私は思います。人間のあらゆる努力の営みは、つまるところ、「疎外《そがい》や孤立《こりつ》を回避《かいひ》しようとするものである」といった高名《こうめい》な心理学者がいますが、人間関係のなかでやすらいで生きたいという感情は人間の本能なのです。生命欲というのは、集団欲といいかえることもできるほどです。ですから、人間関係に緊張《きんちょう》やわずらわしさを、強く感じがちになっている現代人は、ある意味では、本能を破壊《はかい》しながら生きているわけですね。自然な育児や老人の介護《かいご》ができずに、虐待《ぎゃくたい》になってしまう大人の世界も、クラスメートと共感できずに、ひどいいじめが生《しょう》じてしまう子どもたちの世界も、おそらく同質のものなのでしょう。

ですから、自分の存在自体にたいする不安を解消するためには、人間がみんな、自分の周囲の人と、おたがいに守り守られて生きているという気持ちになれば、存在への不安は小さくなると思うのです。そうすると育児不安も、とうぜん小さくなると思います。その結果、赤ちゃんに安心感を与《あた》えるような、だっこや授乳ができるように

なり、楽《らく》な気持ちで育児ができると思っています。親子がたがいに、相手によって生かされているという、喜びや感謝に満たされた気持ちがあれば、自然な育児というのは、かならずできるものだと思います。

そうすると、多少個人差はありますが、夜泣きが多い赤ちゃんでも、私はとうぜん少なくなると思っています。夜泣きの多い赤ちゃんに、「いいよ、泣きたいだけ泣きなさい。あなたのために私がいるのですよ」と、いってあげられるお母さんの赤ちゃんは、すぐに泣きやむのです。これは、私が何人ものお母さんに会って、お話を聞いて知っていることなのです。

できれば、子どもにたいして、「私のためにあなたがいる」という気持ちにも、ときどきなれるといいですね。けれども、「ねむいのに今夜もまたおこされた」と感じて、いらいらしてしまうのは、「自分ひとりでこの子に立ち向かっている」と思っているときなのです。自分ひとりという気持ちになってしまうのがいけないのです。

保育園の保母さんと、よく話し合うことがあります。そしてこんなお話を聞いたことがありました。

園の昼寝《ひるね》のとき、パジャマに着替《きが》えさせてもらうと、さっさと寝《ね》てしまう子がいる一方で、お母さんのいない場所でねむるのは、どうしても不安だという子もいます。布団《ふとん》を敷《し》くこと、パジャマに着替《きが》えることも、いやがる子どももいます。「お母さんがいい。おうちに帰る。おうちに電話して…」と、泣きわめいてしまう子どももいるそうです。そんなときは生活着のままで、なんとか布団《ふとん》に寝《ね》かせて、なだめたり背中

をさすったりして、泣き寝入《ねい》りするのを待っていてあげるのです。でもその子どもは、ねむくて目をつぶりそうになると、いそいで目をぱちぱちさせたり、手をばたばたさせて、寝入《ねい》らないようにがんばるというのです。目をつぶってねむってしまうと、知っている人が、みんなみえなくなってしまうということが、こわいというのです。

子どもだって不安なんですよ、お母さんがそばにいてくれるという安心感がないと、ねむることだって、おそろしいことなのです。お母さんのイメージが、しっかり心にきざまれている子どもはいいのですが、母親のイメージがうすい子どもは、昼寝《ひるね》のときにも、このようにおそれを感じています。親の愛情が十分に実感できるようになれば、保育者の愛情を信じることが、すぐにできるようになると思います。

孤独《こどく》ということは、人間にとってはそれ自体、存在の根源をゆるがされることですから、健康ではいられないのです。私たちにとって、知人、友人、家族、近所の人、そういう人がなぜ必要かというと、そんなわけがあるからなのです。私たちは職場の同僚《どうりょう》にだいじにされることが、そして、自分も相手をだいじにしながら、働くことがたいせつなのです。家族をたいせつにすること、職場以外でも、友人、知人をたいせつにし、そして、自分もたいせつにされることがだいじなのです。そういう相互《そうご》関係を思って生きることが必要なのです。人間の生《せい》の営みは、どんなに個人的な働きをしているようにみえても、すべて相互《そうご》関係なのですから。

子どもに依存《いぞん》する孤独《こどく》な親

人間は本来、相互依存《そうごいぞん》の傾向《けいこう》があると前にお話しました。近年、地域社会がなくなってきて、住民がそれぞれ、孤立《こりつ》して生活する傾向《けいこう》が強まりました。家庭内でも夫婦が相互依存《そうごいぞん》できない人は、しょうがないから、その分《ぶん》だけ別のものに依存《いぞん》することになるのです。それが依存《いぞん》の内容によっては、よその異性に依存《いぞん》する人もいます。アルコールに依存《いぞん》する人もいる、あるいは賭け事《かごと》に依存《いぞん》する、ショッピングに依存《いぞん》する、このごろでいいますと、パチンコに依存《いぞん》するというわけです。自然な人間関係が稀薄《きはく》になった分《ぶん》だけ、病的な依存《いぞん》や依存症《いぞんしょう》が現代人に多くなりました。

そういうものに依存《いぞん》しない人、あるいは、できない人は子どもに依存《いぞん》します。子どもに依存《いぞん》する親というのは、親なのですから、一見《いっけん》したところでは、子どもに寄りかかってはいないようなのですが、子どもの成長とか発達とか、学力とか偏差値《へんさち》とか、稽古事《けいこごと》やスポーツなどの技能とか……、そういうものが、自分の思いどおりに、育っ育っていってくれるようにみえることに依存《いぞん》するのです。ですから、自分が思っていることとを、子どもが早く表現してくれないと依存《いぞん》できないのです。子どもを自分の思いどおりにすることで、あるいは、結果としてそうなったことに依存《いぞん》して、安心するという親が多くなったと思います。

育児の下手《へた》な親というのは、ほとんどが孤独《こどく》なのです。そういう場合、夫婦の仲があまりよくなかったりしますと、しばしば問題は深刻《しんこく》になります。親の顔色に敏感《びんかん》な

子どもにしてしまいがちで、自主性が育たないのです。夫婦が非常に仲がよければ、それでだいたい子どもは育つと思います。仲がいいということは相互《そうご》に依存《いぞん》し合っているから、子どもに依存《いぞん》しなくてすみますし、子どものほうも安心して、親に依存《いぞん》できるようになるのです。ところが、子どもに自分の依存《いぞん》を、受け止めてもらおうとする親が多くなりました。

すこし極端《きょくたん》な例を、お話しますが、今日《こんにち》、親が子どもを虐待《ぎゃくたい》するということも多くなりました。保健所とか児童相談所とか専門クリニックで、はっきりこれは虐待《ぎゃくたい》の例だと認知《にんち》されるのは、全体の十分の一なのか百分の一なのか、わからないというほどでありまして、氷山の一角なのです。

子どものそばにいる時間は、母親がもっとも多いものですから、児童虐待《ぎゃくたい》も母親による場合がもっとも多いようです。明らかに虐待《ぎゃくたい》だとわかった事例を、きちんと調べてみますと、私の経験では、もう例外なくお母さんが孤独《こどく》です。

近所とのつきあいがない、実家とのつきあいもほとんどなくなっている、友人がいない、そして夫婦の間でも、ほとんどコミュニケーションがうまくいってないというわけです。そのように、人間とは孤独《こどく》になればなるほど、不安になっていらだちやすくなるのです。人間というのは存在するだけでも、生きているだけでも、基本的に不安があるのですから。

不安が大きくなると人はどうするのか、なにかにしがみつこうとするわけです、とうぜんですね。すがるものが、自分の幼い子どもしかないときには、子どもは非常に

不幸なことになります。親が幼い子どもにすがりつくというのは、どういうことかというと、自分の思いどおりの子どもにして、なぐさめられようとするのです。不安が大きい人ほど、子どもを操作《そうさ》しすぎると思います。大の大人が小さい子に、ただつかまっているわけにはいきません。どういうつかまり方をするのかというと、自分が気にいるような子どもにして、精神的に満たされようとするのです。

ですから、子どもが思うようにいかないときには、深い悲しみを感じます。それよりもうまくいかなかったときには腹が立ってしまうのです。そこで、子どもに非常に強い指示をすることになります。子どもは自主性、主体性を失って、ときには、かん黙《もく》（八〇ページ参照）になる、自分の判断で安心して口をきくことが、できなくなってしまうのです。

そればかりでなく、そのような親はがまんしきれなくなって、強くしかったり体罰《たいばつ》を加えたり、いろんなことをしてしまいます。子どもが思うようにいかなくなると、ひどくいらだって怒《おこ》る、これが虐待《ぎゃくたい》になるわけです。深夜で自分がねむくてしかたがないときに、夜泣きする、せっかくつくった離乳食《りにゅうしょく》を食べない……、このような子どもの態度に激《はげ》しいいらだちを、おさえることができなくなるのです。

早期教育も、なんとか自分の思いどおりに子どもをひきまわそうとする、親の別の虐待《ぎゃくたい》の例であることが多いと思います。すべて、もとの感情はおなじものなのですね。現代の親は、子どもを所有物にしすぎてしまっているのです。子どもに別の人格を認《みと》めてあげられるほど、親のほうが成熟《せいじゅく》や自立をしていないのですね。

虐待《ぎゃくたい》というのは、体罰《たいばつ》を子どもにきびしく与《あた》え、骨折させたり頭蓋内出血《ずがいないしゅっけつ》をおこさせたり、大やけどをさせたり、内臓破裂《ないぞうはれつ》をさせてしまったりということだけが、虐《ぎゃく》待《たい》ではないのです。このような物理的、身体的虐待《ぎゃくたい》もありますが、精神的虐待《ぎゃくたい》というのもいっぱいあるのです。若い両親が幼い子どもに、コンビニエンスストアの弁当をひとつ与《あた》えただけで、朝から夜まで家に放置して、遊びにいってしまうとか、反対に、子どもにつきっきりで、ピアノや野球や将棋《しょうぎ》などを教えこむとかいったことも、やり方によっては心理的虐待《ぎゃくたい》なのです。

子どもを虐待《ぎゃくたい》する親というのは、ひどいせっかんをしたりするわけですが、計画的に子どもをいじめるようなことはあまりなくて、たいていは衝動的《しょうどうてき》です。衝動的《しょうどうてき》にかっとなることが多いのです。そして、そのちょうど裏返しのように、子どもが自分の思いどおりになったときには、大喜びをして、非常に子どもが好きになるのです。

ですから、コインロッカーに赤ちゃんを捨てるとか、どこかに子どもを捨てる親と、子どもを虐待《ぎゃくたい》する親とは基本的にちがうのです。めったに捨てたりはしないわけです。施設《しせつ》に預けたいというふうな、短絡的《たんらくてき》な発想もしないのです。例外はもちろんありますが、多くの場合はそうではありません。自分の思いどおりにいかないときだけ、かっとなるのです。そして、子どもを虐待《ぎゃくたい》する親には、子どもが自分の思いどおりになったときには、恍惚《こうこつ》となるほどの喜びを感じることもよくあることです。子どもは親の恍惚《こうこつ》とするほどの幸福感と、激《はげ》しい怒《いか》りやいらだちとの両極端《りょうきょくたん》の感情の間で、ほんろうされることになります。

幼い子どもというのは、日常の多くの場面で、親の思いどおりにはならないものです。よく泣くし、おねしょはするし、聞き分けはないし、そのほかさまざまな点で、幼いときから親の思いどおりにはならないものです。

こういう場合、私は何人ものお母さんに会ってきましたが、たとえば、夜泣きの多い赤ちゃんのお母さんに、「あなた自身が不安やいらだちをもってはいけません」というような言い方はしないのです。この母親の不安を、どのようにすれば、のぞいてあげられるのかということを考えます。そのためには、たとえば、「心配なことがあったら二四時間、三六五日、どうぞ私のところに電話をしてください。私には十分な能力があるわけではないけれども、私にはたくさんの友人や知人がいる、すぐれた医者もいる、乳児の専門家もいる。だから、私にできないことはいっぱいあるけれども、どこのだれさんにお願いしたらいいですよというようなことは、いつでも教えることができますから」、というようなことをいってあげるのです。これだけでも、かなりお母さんには安心なのですね。

そうすると、電話がじゃんじゃんかかってきて困るかというと、そんなことはありません。すこしは電話がかかってくるかもしれませんが、それだってたいしたことはないのです。でも、いつでも相談にのってもらえる人がいるという、この安心感がたいせつなのです。その安心感は、なにも医者だけに求めるものではなくて、「なにかあったら夫婦で協力して一生懸命《けんめい》にやれますよね、お父さん」、「そうだよ、お母さん」という関係が、夫婦にも必要なことでしょう。お隣《となり》だって助けてくれるし、とい

うような気持ちを、日ごろもって生活している人は、それだけゆったりしていますからね。そんな気持ちを心がければ、育児不安なんかは、もっともっと少なくなっていくと思いますね。

人と育ち合う育児

井《い》戸《ど》端《ばた》会議でくつろげた時代

育児不安のお母さんは、いろんな人との人間関係が、うまくいってないのですね。うまくいかないという以前に、人づきあいがわずらわしいという人も多いのです。ところが、親子も人間関係ですから、わずらわしくてはいけないのです。子どもといっしょにくつろぐことが必要なのです。しかし、現代の親は、そこがうまくいかないのですね。

私は昭和一〇年生まれですが、一六年一二月に第二次世界大戦がはじまって、あけて一七年四月に、当時は国民学校といいましたが、小学校一年生になりました。ですから、私は第二次世界大戦がはじまって最初の小学生です。そして一〇歳のとき、昭和二〇年が敗戦による終戦です。

ある意味では、ひどい時代に成長期をむかえました。親にとっても、いっそう困難な時代だったと思います。あんな時代に、親はよくも子どもを生き生きと健全に、健康に育てられたものだと思います。そこで当時をふり返って、あらためて自分の親が、あんな時代になぜ、あれだけ精神衛生《えいせい》がいい状態でいられたものだと考えるのです。なぜかといったら、俗《ぞく》にいう井戸《いど》端《ばた》会議があったからだと思うのです。

私の母をみていても、井戸《いど》端《ばた》会議を楽しんでいたのだと思います。こんな記憶《きおく》があります。夕食をはじめようとしたら、漬《つ》け物《もの》の醤油《しょうゆ》がなくなっていた。そこで母親がちょっとお隣《となり》にもらいにいったのですが、それっきり、いっこうに帰ってこない。お

ふくろはお隣《となり》にあがりこんじゃって、お芋《いも》かなにかごちそうになっていた。そういうふうに人恋《こい》しく、人なつこく、人とおしゃべりをするのが楽しかったので、家族がお腹《なか》をすかせて待っているのに、「ちょっとだけおしゃべりを」といって、話しこんだまま、いつまでも帰ってこない。家族がしびれをきらして、私がむかえにいったら、おふくろが「そうそう帰らなくちゃ、お芋《いも》をおまえもひとつよばれなさい」なんて、ひとつもらって帰ってくるとか、人との関係でくつろげる時代でした。母は隣《となり》の家の人とおしゃべりを楽しめたのですね。その当時は、みんなが友達という気持ちを、だれもがもっていたのでしょうね。ですから、みんな生き生きしていました。

ところが現代人は、人といっしょにくつろぐことに、喜びや憩《いこ》いを感じることが少なくなりました。人びとはひとりでいるときのほうが、くつろぎや喜びを感じるようになりました。本当は喜びというよりは、なにかほっとしているにすぎないのだと思いますが、ひとりでいることに気楽さを求めるようになりました。

その理由にはいろいろなことがあるでしょうが、各家庭が経済的に自立したということがあります。都市周辺の新興住宅地に日本の各地から、いちどにどっと人が移り住んで、それぞれ自立という名の孤立的《こりつてき》な生活を営んでいる、という風潮《ふうちょう》がでてきました。すなわち、あまり隣《となり》近所同士が頼《たよ》り合《あ》い、支え合う関係ではなくなったのです。

経済的な自立は、日常生活に醤油《しょうゆ》や金銭の貸し借りのような、隣《となり》近所を頼《たよ》りにする必要をなくしました。言葉をかえれば、おたがいに信頼《しんらい》し信頼《しんらい》される関係でも、感謝したりされたりする関係でもなくなったのです。おたがいに共感し合う機会が、どん

どんなくなってきたのです。すこしでも気兼《きが》ねやわずらわしさを感じるようなことがあれば、人との関係をもたないでおこうという気持ちが、支配的になってきたように思います。

そういう時代の風潮《ふうちょう》のなかで、子どもたちは子どもたち同士で、うまく遊べなくなっていきます。おなじように、親も近所の人たちとコミュニケーションをすることが、下手《へた》になっています。友達をほしいのは、子どもたちばかりではありません。私たち大人も、自らのよりよい精神衛生《えいせい》のために、親しく共感し合える近所の人たちを、本当は必要としているのです。

私たちは目先のわずらわしさに気をうばわれて、心の底にある人間としての、人といっしょにいたいという健全な欲求に、気持ちがおよばないのです。豊かさや自由のなかで、私たちは刹那的《せつなてき》で衝動的《しょうどうてき》な生き方をしているのだと思います。

人といっしょにくつろぐ努力を

現代人のひとつの大きな不幸は、人との関係から解放されなくては、やすらぐことができないというようなところがあることです。自由を求めすぎて、かって気ままに生きようとして、かえって生きにくくしている自分に気づかないでいる、といっても過言《かごん》ではないでしょう。

飽食《ほうしょく》の時代になって、私たちはわがままになったと思います。人間が空腹を満たすために、たいして努力をしなくてもよくなったら、どういうことになるのか……、そのことを教えられる思いもします。

人間が人間関係をさけてくつろいでいるとか、やすらいでいるとかいう状態では、親子関係は人間関係ですから、うまくいかないですよね。人間関係のなかに、やすらぎを求めるということも、できなければいけないのですね。もちろん、人間には孤独《こどく》の喜びとか、ひとりでいることのくつろぎはありますよ。けれども、人との関係のなかでも、くつろげなければいけないと思います。そういう、いっしょにくつろげる人を、どうやって得るかがだいじなことですね。

本当は、相手の心にひびき合うことのできる感性を、自分でどのように育てていくかということだと思います。そういう相手が得られない人は、子どもの教育や育児がうまくできないと思います。不登校の子どもというのは、友達との関係のなかでくつろげないのだと思います。

子どもというのは、本来、ひとりでいるなんていうことは、退屈《たいくつ》で耐《た》えられなかったはずですね。友達となにかしていることが楽しかった。メンコでもビー玉でも、コマまわしでも鬼ごっこでもね、陣取《じんと》りでもあやとりでも、おはじきでもお手玉でも、なんでもかんでも友達としているのが楽しかった。竹馬にのるにしろ、ひとりで竹馬にのってもおもしろくない、仲間とのっているのがおもしろかった。コマもひとりでまわしていたって、おもしろくはないけれども、友達とまわしっこするのがおもしろ

かったというように、人といっしょにいること、仲間といっしょにいることが楽しかったのです。

ですから、そういう時代には不登校の子どもや、家庭内暴力の子どもはいなかったのです。コンピューターゲームの普及《ふきゅう》は、このゲームがひとりでいることにしか、くつろぎを感じられない子どもに、時間をつぶさせてやるための最適なおもちゃだということを考えますと、よく理解できます。

私たちは、今日《こんにち》、どうしたら人といっしょにくつろげるかということを、多少、努力をしてでも、こころみるべきだろうと思います。子どもを連れて家族だけで小旅行をするとか、動物園にいくというのは、確かに気楽で気兼《きが》ねがないです。けれども、そうではなくてお隣《となり》の家族をさそっていくとか、親が兄弟同士だと子どもにとっては、おじさん、おばさん、向こうの子どもは従兄弟《いとこ》になるわけですが、そういう親戚《しんせき》の家族といっしょに、でかけてみるということも必要ではないでしょうか。

家族同士でさそいあって、ちょっといこうじゃないかといえるような、そういう、人にたいする親しみを、私たちは取《と》り戻《もど》そうとよびかけたいと思います。こういうことをしないと、もっともっと、事態《じたい》は悪くなると思います。遊園地だって、本当は親しい何家族かでいったほうが、子どものためにはいいのです。何家族かでいったほうが、それだけ社会のなかにいることになるのです。親とだけでいっていたのでは、本当の社会性は育ちにくいのです。何家族かでいくと、子どもの社会性という意味では何倍も成果が大きいのです。

そうすると、子どもは子どもたち同士でも、行動できるようになるのです。子ども同士で話し合いながら、こんどあそこへいこう、つぎはあっちへいこうとか、親をおいてきぼりにするくらいによく活動します。しかも自分たちで話し合って、自分たちの判断で行動することができるのです、それがいいのですよ。ところが、自分たちの家族だけだと、みんな親にコントロールされた動きしかしないのです。だから自分の判断で行動しないのです。そのうちに、自分で判断しない子になり、できない子どもになってしまう。これがたいへんな問題になるのです。ですから、二、三家族の親しい息の合った家族でいく、そういうことは非常にだいじなことなのですね。

そういうことが気兼《きが》ねとか、わずらわしくてできないという親がいますが、そういう状態では、本当は育児はできないのです。しかし、私たちは子どもがうまく育たないと、それを学校のせいや社会のせいにしたくなります。せめて親しい何家族かといっしょに、遊園地や動物園に子どもを連れて遊びにいくことぐらいは、自然な気持ちでできないと、子どもを社会人に育てるための育児なんか、できないかもしれません。ですから、人のせいにしないで、それくらいのことはできるように、ご近所なり親戚《しんせき》なりと、親しくまじわるようなことを、やっておかないといけないと思います。それくらいの心がけは、しなくてはいけないと思います。

もっといいますと、相手のご家族をさそうのは、相手にだって都合《つごう》があるでしょうから、そんなに簡単にはさそえないと思ったら、私は子どもだけお借りしていきましたよ。自分の子どもの友達をお連れするのです。それは多少、気兼《きが》ねですね、事故が

あったり、けがをさせたりしたらたいへんだとか。しかし、そのことをわずらわしく思うこと自体が、もうなにごとも安易《あんい》にすませようという生き方ですね。

私だって子どものころ、親戚《しんせき》のおじさんやおばさんに、あるいはご近所の人に連れられて、海水浴にいったとかいう思い出がいっぱいあります。A町のおばさんと温泉にいったとか、B村のおじさんと松茸《まつたけ》がりにいったとか、そういう経験がいっぱいありました。それがたいせつな思い出になったのでしょう。そういう体験がたくさんあって、子どもは人を信じるとか、人とまじわることができるようになるわけです。ようするに、いまは、人とのまじわりの絶対量がたりないのだと思います。これを苦痛ではなく、わずらわしくなく、楽しめるくらいになる。それぐらいの人とのまじわりの努力は、日々しようではありませんか。自分の子どもを人様《ひとさま》に預けよう、人様《ひとさま》の子どもを預かろうではありませんか。

育ち合う子どもたち

子どもというのは、自分の子どもだけが育つということはありえなくて、人と、とくにほかの子どもと育ち合うのです。親は、自分の子どもといっしょに育ち合ってくれる子どもたちが、視野に入っていなくてはいけないのです。ですから、自分の子どもはよその人に育てていただこう、ご近所の人たちに育てていただこう、親戚《しんせき》の人た

ちに育ててもらおう。そのかわり自分も、よその子どもをいっしょに育てようという、こういう気持ちを、いつももっていることがたいせつです。みんながこういう気持ちを失ったら、子どもはまず、社会人としての人間に育っていかないと思うのです。

子どもというのは、育つというよりは育ち合う存在ですから、この「育ち合う」ということを、子どもを育てている人たちは、よく考えるべきです。自分の子どもが育っているということは、自分の子どもといっしょに、育ち合ってくれる子どもがたくさんいるということなのです。

ある保育園で保母さんから聞いたお話ですが、ご紹介《しょうかい》します。

子どもたちは年長組にもなりますと、仲間同士で上手《じょうず》に遊んでいます。一歳のときからいっしょに育ってきた男の子で、四人の仲間がいるのですが、みんな虫が好きで園庭にでるたびに、「むし、むし」といってはは走りまわっているのだそうです。四人は毎日のように図鑑《ずかん》をみているので、虫の名前はもちろん、どんな場所にすんでいるか、なにを食べるか、なんの仲間かなど、よく知っているのだそうです。もうりっぱな虫博士ですね。

遊びはいつも、四人連れ立っての虫さがし。そんなに広くない保育園の庭で、さまざまな虫をつかまえ、カミキリムシとかナナフシまでみつけだしてきては、「えっ、こんな虫がいるの?」と保母さんたちをびっくりさせているのだそうです。こんな子どもたちですから、園のお楽しみ会のための劇の練習なんて、まったく興味ありません。ちょっと目をはなすと、すぐに園庭へでていってしまいます。もう、劇の練習も

あったものではありません。そこで、保母さんたちは考えたそうです。むりやり練習させようとしてもだめなことは、日常の生活をみていてわかっているのですね。

困って考えだしたのが、劇の登場人物を、子どもたちの好きな虫にしようというアイディアです。そこで子どもたちに、「いちばん好きな虫はなあに？」と聞いたそうです。子どもたちは、「ヤンバルテナガコガネ」、こういったのです。そこで、「四人でヤンバルテナガコガネの役をやらない？」とさそうと、顔を見合わせていましたが、「うん、やる」。そして四人とも練習に参加して、劇を成功させたというのです。

虫博士の四人の影響《えいきょう》で、クラスのみんなも、虫に無関心ではいられなくなって、散歩中にちょっとめずらしい虫をみつけると、みんな大さわぎ。四人に虫の名前を聞いたり、どうやって飼えばいいのかとか……。また、そのクラスには障害をもった子がいたのですが、その子は四人のうちのひとりが大好きで、いつもうしろをついて歩いていって、いっしょに虫をつかまえて遊んでいるそうです。

このような保育園でのお話を聞くたびに、私は、子どもは子ども同士で、ちゃんと遊び合い、育ち合っていくのだと思うのです。たいせつなことは、仲間といっしょになって熱中できるテーマ、遊びをみつけられるように、うまくみちびいてあげることなのです。ほうっておいても、なにかをみつけて、自分から参加できる子どもなら、それでいいのですが。

ところが、親が「子ども同士で育ち合う」ということを知りませんと、自分の子どもだけを一生懸命《けんめい》に教育しようとします。たいせつな勉強を学校の先生から、水泳や

サッカーをスポーツクラブのコーチから、ピアノやヴァイオリンのレッスンを音楽の先生から、英会話を外人講師から、というように大人からいろんなことを教えてもらっていれば、大丈夫《だいじょうぶ》と思ってしまいます。そして、家庭では親がきちんとしつけをしてさえいれば、申《もう》し分《ぶん》のない子どもに育つと、思いちがいをしている親がいないでしょうか。

確かに、知識はふえるかもしれません、スポーツやピアノの技術はのびるかもしれません。ところが、子どもの人格の中心の部分は、そんなことだけでは育たないのです。知識や技術は、それだけでは人格と無関係だということも、ひょっとすると、多くの親は知らないのかもしれませんね。知識が豊富だと、それだけで人格者になると思っているのかもしれません。

私たちはともすると、子どもが勉強ができたり、ピアノとかスポーツの能力がすぐれていると、「人間ができた」と思ってしまうのです。ところが、そんなことはまったくないのです。コマまわしがうまいとか、メンコが上手《じょうず》だということが、それだけでは人格と関係ないのとおなじように、算数ができたって国語ができたって、それで人格ができたということではないのですね。

子ども自身が、自分の年齢《ねんれい》相応の社会性を身につけていかなければ、その子どもたちは、子どもたちの社会にはなじめないのです。今日《こんにち》、児童精神衛生《えいせい》のクリニックは、社会性の不足した子どもたちでたいへんな混雑です。ある子どもたちは、いろんな身体的な変調をうったえる心身症《しんしんしょう》の状態で、またある子どもたちは不登校、かん黙《もく》、家

庭内暴力、拒食《きょしょく》、非行などの非社会的、あるいは反社会的な行動がでてきて、親に連れられてやってくるのです。

彼らの多くに共通していることは、なにごとも大人からしか、学んでいないということです。子どもは、子どもから学ばなければならないのです。子ども同士でおたがいに教え合わなければ、子どもは子ども社会に適応するための、社会的人格を身につけることができないということです。

ですから、たとえば不登校の子どもは、仲間や上級生から、なにかを学ぶ態度や習慣が身についていないともいえます。仲間からなにかを教えられたり、仲間に教えたりする習慣や感性がないのです。このような能力は、小学生になって急に身につくものではけっしてありません。幼児期からの友達との遊びをとおして、発達的に獲得《かくとく》されていくもので、大人には教えてあげることのできないものだと思います。その後、学校をふくめた社会のなかで生きていく子どもたちは、人間関係のなかで生きる習慣を、身につけていかなければなりません。そのためには、子ども同士で育ち合うという経験は、とてもたいせつなことなのです。

子どもは、本当にいろんな人との関係のなかで育ち、仲間との交流をとおして、たがいに育ち合うのです。ですから、子どもを育てるということは、まず親自身が、どういう人たちと、どのようにコミュニケーションをしながら、地域社会で日々生きているのかということを、子どもにお手本を示すことが必要でしょう。それは、人それぞれには相性《あいしょう》があるでしょうから、だれとだって親しくするというわけにはいかない

かもしれません。けれども、それぞれの地域社会に何軒《なんけん》かは、家族ぐるみでつきあえるような家族をみつけるということ、それが育児をするための基本的要件だというぐらいの気持ちは、もったほうがいいのではないでしょうか。

小さな心がけから生まれる人間関係

私も、自分の家族とそういう気持ちで、日々生活しようと心がけています。ご近所の人に出会えば、親愛の心をもって気持ちのいいあいさつをしようと思います。近所の子どもに会えばひとこえ、親しみの声をかけるということです。向こうだって、「あっ、このおじさんだ、あのおばさんだ」と親しく思ってくれていると思います。

私の妻は家にいる時間が多いわけですから、私よりずっと、近所の子どもたちと親しくしています。ですから、近所の子どもたちは「おばさん、おばさん」って声をかけてきます。私の家には、いまウエンディという犬がいるんですが、昔はシロという犬がいました。だから「シロのおばさん」とか、「ウエンディのおばさん」とか、小さい子はいっています。地域の人とそういう親しい関係に、みんながなっていけばいいと思うのです。

本来、そういう生き方が、地域社会では自然なことだったのではないでしょうか。地域に生きるということは、そういうことだったはずですよ。わが家でもたえず、近

所の子どものことを気にしていただいてきたと思っています。うちの子も気にしていただいてきたと思っています。そのようにして育てられてきたと思いますし、育ってきたと思います。人間というのは、家庭と地域社会を基盤《きばん》に育ち、そして生きる、そういうものなのだという認識《にんしき》をしなおす必要があると思います。このことは、本当にだいじなことだと思います。近所の人に日常の小さなことも、簡単に頼《たの》めるのがいいのですね。頼《たの》まなくてはいけないのです。頼《たの》むということは、結局、相手から頼《たの》まれる用意がありますよということなのですから。

東京ではめったに雪が降らなくなりましたが、それでも、たまに降ったときには雪かきをします。そのときに私の家には、先のとんがっているシャベルがありますが、お隣《となり》には先の四角いシャベルがありました。ふだんは雪かきなんてあまり考えてもいませんから、先がひらたくて四角いものは、買い置きしてありません。そして雪かきをしてみたら、お隣《となり》のシャベルのほうがずっと便利なのです。それを買おうと思えば、買えるわけですが、東京に雪などめったに降るわけではないのですから、買うこともないと思いました。そこで、お隣《となり》のを借りたのです。借りるときには、「家には先のとがったシャベルがありますから」と伝えておくのです。穴をほるときなどは、使ってくださいというわけです。そのことだけではなくて、シャベル以外にも、いろんなことで頼《たの》みにいったりするということが、日々だいじなのですね。そこで「ありがとうございました」、「どういたしまして」という会話がかならずかわされるわけです。

人間というのは、人に「ありがとうございました」といえるのは最高の喜びです。

「どういたしまして」というのは、もっと大きな喜びかもしれません。この喜びを、もっと分かち合わないといけないですね。

ところが、現代人は「お願いします」、「ありがとうございました」という心や気持ちのやりとりで、「お願いします」というときに、卑屈《ひくつ》になってしまう人が多くなってきたようです。感謝や喜びではないのですね、卑屈《ひくつ》になってしまうのです。長年の間に、日本人はそういうふうに性質が変わってきてしまいました。「お願いします」というと、相手に迷惑《めいわく》をかけるかもしれない、いやがられるかもしれないと、卑屈《ひくつ》に、あるいは被害的《ひがいてき》に思ってしまうのですね。

「豊かな国では、パンのために人が死ぬことはないでしょうが、さびしさのために人がおおぜい死ぬことでしょう」といった、マザー・テレサの言葉に、私は強い共感を覚えます。

まず、自分が人の善意を信じること

人間には日常的な心理の不思議な一面があります。それは近所の家族でも親戚《しんせき》でも、あるいは友人の家族の場合でも、相手の家族が自分たちの家族にたいして、どういう感情をもっているかということは、こちらが相手にたいして思っている感情と、ほぼ一致《いっち》するということです。こういう原理、原則のようなものがあるのです。

個人の関係でもおなじことがいえます。相手が私のことを、どう思っているかということは、私が相手をどう思っているかということと、ほぼおなじことなのです。これは非常にわかりやすく重要なことです。ですから、こちらが相手を好意的に思えれば、相手だってかならず、そういうふうに思うようになるのです。

ところが日本では、いま、人びとが非常に被害的《ひがいてき》になったり、卑屈《ひくつ》になりやすくなっていますから、こんなこと頼《たの》みにいっては、迷惑《めいわく》がられたり、気を悪くされるのではないか、というぐあいにどうしても思ってしまうのです。そう思ってしまうということは、おなじような用事で相手がやってきたときに、自分も気を悪くするということなのです。ですから、そういうものの考え方をしないように、日ごろから心がけていかなくてはいけないのです。ようするに、人の善意の面を信じるかどうかということなのですね。私たちはいま、人の善意の面を信じてつきあえることがたいせつなのです。しかし近年、そういう感情や習慣を、私たちは、どんどん失いながら生きているように思います。

人の善意を感じにくくなったということは、自分が善意をなくしてしまったということですから、どんどん孤独《こどく》になって、生きていることが苦しくなりますね。本来、善意のない人なんかいないのだ、そう思って生きているのが、本当は幸せなのだと思います。人を信じることができる自分というのは、自分でも自分のことを信じて好きになれるということです。子どもを育てようとしている人にとっては、このことは、とてもたいせつな生き方の姿勢だと思うのです。

親子関係もまったくおなじなのです。ですから、「親が僕のことを不足に思っている」と感じる子どもは、子ども自身も親のことを不足に思っているのです。親が子どものことを「ありのままでいいよ」と思っていれば、子どものほうでも、「僕にとっては、そのままのお父さん、お母さんで十分だよ」と思っているわけです。そういう関係になるわけです。親が子どもにたいして、「まだあそこがだめだ、ここがだめだ、あるいは、ここがこうなればいいな、あそこがああなればいいいな」と思っているうちは、子どものほうだっておなじように、親にたいして不足だらけに思っているわけです。こういうことは人間の心理の、人間関係の鉄則《てっそく》なのです。

ですから、親が自分の子どもを「いまのままで満足だよ」と思ってあげれば、子どものほうも、親にたいしてそう思うわけですから、家庭内暴力なんかおこるはずがないのです。そこがだいじで、この子はいたらないのだと思っていたら、子どもだって自分の親を不満だらけに思っていますよ。子どものほうでも、学校やクラスの懇談会《こんだんかい》なんかに、みっともなくて、きてほしくない親だと思っていますよ、親子も近所の人も、人と人との関係はみんな、おたがいっこなのです、そう思います。

長い年月、私は医者として、多くの子どもや家族の人たちに会い続けて思うことなのですが、そういうことに、案外、大人のほうが気づいていないのですね。子どもをもっと磨《みが》いてあげなくてはいけないとか、もっとなにかが、よくできるようにしてあげなくてはいけないとか、思ってしまいがちです。そうすれば、子どものほうでも、自分の親はまだまだとてもだめな親だ、いやな親だ、友達の何君の親みたいになって

くれないかな、なんて思ったりしますよ。子どもが「A君のお父さんみたいな、Bさんのお母さんみたいな親をもちたい」なんて思うことは、子どもにとっては、もっとも不幸な感情ですね。

ところが、大人や親はそれに気がつかないで、一方的に、子どもにあれこれ不足なことを思うのです。大人の考えでは、まだまだ、自分の子どもは未熟《みじゅく》で不足だらけだ、という先入観がありますからね。本当はそうではなくて、子どもたちの多くは、その子の年齢《ねんれい》相応に、しっかりと発達し成長しているのです。

親のほうが「それでいいんだよ、それでいいんだよ」といいながら、親のやるべきことをやってさえいれば、たいていは不足のない子に育っていくのだと思います。人の善意を信じられる子どもは、基本的には、親にそのように思われ、育てられた子どもだと思います。だれにも善意と悪意はあるのですが、親は子どものなかに、善意のほうが豊かに育つように心がけてほしいものです。そのためには、子どもを育てている人が、周囲の人たちの善意の面を信じてつきあうようにすればするほど、相手もこちらを善意に思ってくれるわけです。ですから、日常的に近所の人や友人や親戚《しんせき》の人たちとも、交際しやすくなるし、その延長線上に、子どもとの関係も、自然に人間的なものになっていくのだと思います。

こんな気持ちで
子育てを

乳幼児期は育児にとって基礎《きそ》の時期であり、この時期をどう子どもとつきあうかが、その後の子どもの人格の形成に、大きな影響《えいきょう》を与《あた》えるということを、お話してまいりました。ところが、現代の若いお母さんのなかには、育児にたいして不安、あるいはマイナスのイメージをもってしまう人が、おおぜいいらっしゃるという現実、そして、そういう気持ちになってしまう背景について、社会の変動との関係でお話してきました。

これからは、乳幼児期にかぎらず、子育てをするときには、こんな気持ちでいるのがいいのですということを、お話していきたいと思っております。

親はだれでも、自分の子どもが、いい子であってほしいと望んでいます。それでは、いい子とはどういう子どもでしょうか。

ふつうに考えれば、親のいうことをよく聞き、面倒《めんどう》のかからない子どもを想像します。けれども、私のような立場からみますと、その年齢《ねんれい》に相応した子どもらしさをもっている子どもこそが、いい子であると思うのです。たとえば、おむつを取《と》り替《か》えてほしかったり、お腹《なか》はいっぱいだけれど退屈《たいくつ》なときに、すぐに泣いてお母さんをよびつけ、親にたくさん手をかけさせる赤ちゃんは、順調な発達のなかにいるといえます。そしてこのような赤ちゃんは、生きるための知恵がつくのも早いものです。

反対に、成長するにつれて親の気持ちを先に読み取り、親が喜びそうなことをするのに心を奪《うば》われすぎて、親に手をやかせないような子どもは、精神状態はけっして健康ではありませんし、自立的な機能も発達してくるのがおそいのです。人の指図《さしず》は守

れるけれど、自分で考えて行動する力が身につかないからです。このようなことを、それぞれの年齢《ねんれい》に相応した時期に、やっておきたいこととして、お話してみたいと思います。

乳幼児期は育児の基礎《きそ》だとお話しましたが、それはたんに、最初にする育児という意味だけではなくて、建築物の基礎《きそ》工事とおなじで、あとになってやり直しをすることが困難なうえに、建築物の価値を決定的に決めるのだということです。大きくなってからの教育は、高校や大学など、いかにも価値が大きそうにみえても、いくらでもやり直すことができるものなのです。

そこで乳児や早期幼児期の育児の基本原則ですが、それは可能なかぎり、子どもの要求を満たしてやるように心がけながら育てるということです。この時期は、相手が小さい分《ぶん》、要求も単純ですし、思いきり手をかけることができるということでもあります。大きくなってから、あとで手をかけるよりどれほど簡単かということを、わかってもらいたいと思います。いちばん手がかけやすくて、それがスムーズにいくのは、乳児期から幼児期の早期なのです。このことは本当によくわかっていただきたいだいじなことなのです。

育児でたいせつな待つという気持ち

教育とか育てるということは、私は待つことだと思うのです。「ゆっくり待っていてあげるから、心配しなくていいよ」というメッセージを、相手にどう伝えてあげるかです。子どもにかぎらず人間というのは、かならずよくなる方向に自然に向いているわけです。けがでも、ほうっておいたって、かならず治る方向へいくわけでしょう。ばい菌《きん》がつかないように、消毒だけしておけばいいのです。風邪《かぜ》だって薬なんか飲まなくたって、じっと休んでいればたいてい治るわけです。

人間の体というのはかならず治るほうにいく、よくなるほうへいこうとするのです。あるいは成長しようとする、発達しようとするのです。もちろん老化ということはありますけれど、とくに元気ざかりの子どもなんかは、すべてのことがかならず、いいほうへ向かおうとしているのです。

だから、じゃまをしなければ、みんないい子になって、個人差はありますが、子どもなりの素質と個性と能力で、みんな発達していくわけです。ですから、待つという姿勢ができましたら、もうこれで、人でもなんでも育てることの名人になれると思います。このことは草花を育てるのも、野菜を育てるのも、果物《くだもの》を育てるのも、人を育てるのもまったくおなじで、ひそかに最善をつくして、じっと待っていればいいのです。待つことに楽しみや喜びを感じられるようになったら、人でも、ものでも、育てるのは上手《じょうず》になりますよね。

ですから、じっさいの育児は育児書に書いてあるのよりは、ゆっくりめでいいのです。まずこのことを、若いお母さんや保母さんにいってあげたいですね。「いろんな発達や成長は、育児書に書いてあるのより、すこしゆっくりめでいいのです、というぐらいの気持ちでどうですか」ということを。なおかつ個人差があって、夜泣きをする赤ちゃんがいたり、あまりしない子がいるわけです。子ども一人ひとりは、そのほかさまざまなことに、相当大きな個人差があると思います。ですから、親の好みや都《つ》合《ごう》どおりにいかない子どもがいたって、それはしかたがないのです。

　昔の育児では、だれもあせらなかったですね。子どものいうことを、だれもがゆっくり聞いてあげたのです。貧しくてなにもかも不自由だった時代には、育児が思いどおりいかないことぐらいで、親などの保護者はいらいらしなかったのです。ところが現代では、多くのことが自由になって、子どもがちょっと思いどおりにならないと、腹を立てたり途方《とほう》にくれたりしてしまいます。

　昔はいろんなことが、意《い》のままにならないのがふつうでしたからね。しかも家族が多かった。ですから、育児をする母親とか祖父母とかが、いつも子どもを肌身《はだみ》はなさず、そばにおいてみていたのです。おんぶしているとか、乳母車《うばぐるま》にのっけて公園にいってるとか、ようするに、子どもからいっときも目をはなさないで、肌身《はだみ》はなさず育てたのですね。ということは、子どもが背中で泣いたり、ぐずれば、「どうしたの？　どうしたの？」と、すぐに相槌《あいづち》をうってあげられました。

　子どもの要求にぴったり合ったことを、してあげたかどうかは別にしても、子ども

が要求を無視されるなんてことは、ほとんどなかったのです。子どもの期待、希望、要求が、なんの応答もなしに、無視されるなんてことはありませんでした。これが子どものなかにどれだけの安心感や、相手にたいする信頼感《しんらいかん》、自分にたいする安心感と自信を育てたかわからないですね。

　しつけをするときだって、けっしていそぎませんでした。おむつがとれないなんて子は、世《よ》の中《なか》にいないんだというくらいの気持ちは、だれでももっていました。お箸《はし》でうまくご飯《はん》を食べられなくたって、だれだってそんなことはできるようになるのだから、競争しない、あせらない、いそがない、こういう育児であったのです。これがだいじなことですよ。当時の親に「いつからできるようになるか、楽しみに待っててあげるからね」、なんていう表現や感情はなかったかもしれませんが、結果として、それとおなじような雰囲気《ふんいき》の育児だったのですね。

　育児をするうえでもっともたいせつなことは、子どもに生きていくための自信をもたせてあげることです。それには子どもにとって、最大のサポーターであり理解者が親なのだということが、子どもにつうじればそれでいいのです。あとはいらいらしたりあせったりしないで、じっくり育児に取り組めばいいのです。

　こちらがあせっていると、子どもは大きくなるにつれて、もっとあせります。ですから、なにごともちょっとやってみて、どうもだめそうだと思うと移り気をおこして、すぐぱっと変わろうとするようになりがちです。なにをやっても自信がもてなくて、成果があがってくるまで、自分で自分を待てない子になりがちでしょう。ですから成

長や発達してくるのを、あるいは、いろんなことが身についてくるのを、こちらがゆっくり待ってあげる姿勢をふだんからもっていると、それが子どもにも身につきます。忍耐《にんたい》づよさが身につくといってもいいと思います。

ですから、待ってあげる姿勢は、子どもを十分信頼《しんらい》しているという気持ちを伝えることにもなります。このことは子どもへの愛を、子どもにもっともわかりやすく伝えることになるのです。

ありのままの子どもを受け入れること

人間というのは、どこかで全面的に受容《じゅよう》される時期があればあるほど、安心して自立していけるのです。自分が全面的に受容《じゅよう》されるということは、ありのままの自分を承認《しょうにん》されるということです。ありのままを承認《しょうにん》されるということは、子どもにとっては、このままで私はいいのだという安心感、すなわち、自信になるのです。人生のできるだけ早い時期に、この安心感が与《あた》えられることがだいじなのです。

そして、できるだけ条件のない状態で、自分を認《みと》めてくれる人をもつということは、その人をそれだけ大きく信頼《しんらい》することであり、ついでその人を基準《きじゅん》にして、そのほかのいろんな人を信頼《しんらい》していけることになるわけです。ですから、親をとおして親以外の人も信頼《しんらい》する、やがて先生や友人をとおして、その先生や友人以外の人も信頼《しんらい》する

ようになるのです。だれもが人生のできるだけ早い時期に、可能なかぎり全面的に受《じゅ》容《よう》されるという経験が必要なのですね、人間というのはそういうものです。その経験があるから安心して生きていけるし、行動していけるわけなのです。

人間はだれもが安心して生きていきたいから、自分をできるだけありのまま認《みと》めてくれる人を、一生懸命《けんめい》みつけようとします。まず親とか祖父母とかに、無条件の愛や受容《じゅよう》を求めようとします。ほぼそれにちかい承認《しょうにん》のされ方をして育ってきた子どもは、無理して友達を求めないで、むしろ、友達を承認《しょうにん》したりしています、余裕《よゆう》があるのです。反対にそれが少なかった子どもは、だれかに承認《しょうにん》してもらおうと友達をさがします、受容《じゅよう》してくれる人をつぎつぎとみつけようとしますね。

幼稚園や保育園では、先生や保育者にそれを求めて、つきまとっている子どもが少なくありません。子どもにとって全面的に受容《じゅよう》されるということは、ぜったいに必要なのですね、それが自分の価値を大きくすることなのですから。それは本当は、早い時期がいいのです。でも、おくれてでも、やってあげなくてはいけない、たいせつなことです。何歳になっても、かならずやってあげる必要のあることなのです。

人間はだれもが、たえず受容《じゅよう》され、承認《しょうにん》され続けていなければならない存在です。そして、大きくなるにしたがって、友人などとおたがいに受容《じゅよう》し合う、相互《そうご》依存《いぞん》の関係で生きていくことになります。その場合に、早い時期に十分な受容《じゅよう》や承認《しょうにん》を得られている子どもですと、それだけ相手を受容《じゅよう》しやすい感情が育っていますから、相手からも承認《しょうにん》を得やすく、友達もできやすくなります。ところが、そうはいかないで、孤《こ》

立《りっ》しがちな状態が続いてきますと、たとえば、思春期になっても仲間とか友人に恵《めぐ》まれないままでいることが多いようです。でも、なんとか相手に認《みと》めてもらおうとする若者は、非常に早い時期から熱心な恋愛をくり返しがちです。そういう傾向《けいこう》があるようです。恋愛というのは相互《そうご》が全面受容《じゅよう》し合っている関係なのです。本当は仮の受容《じゅよう》なのでしょうが。

一般《いっぱん》に、親や家族から十分受容《じゅよう》されてきた若者は、中学生や高校生ぐらいの早い時期に、すごい恋愛に陥《おちい》ることは少ないですね。親や家族に十分に受容《じゅよう》されたという実感のない若者ほど、クラスメートなどと早くに、深い恋愛に入ったりすることが多いと思います。

幼い子どもがお母さんにあまえているように寄りそって、公園のベンチや電車の座席で、人目《ひとめ》をはばからないで恋愛しているでしょう。それからまた、ずっと年上の人とも恋愛しがちです。年がうんとはなれている場合には、恋愛関係でも夫婦関係でも、年上の人のほうが相手を大きく受容《じゅよう》しますから。そういうふうにして過去の愛され方の不足分をおぎなったり、回復しようとしますね。

親は大きくなってからでも、子どもを受容《じゅよう》してあげればいいのです。小学生になろうと、中学生になろうと、その意味は大きいのです。必要なだけ十分受け入れてあげるべきだと思います。

子どもが失敗したときが親の出番

子どもが小さいときは、まだ社会や世間のことがわからないのですから、親は子どもの失敗を受け止めてあげる必要があります。子どものいたらないところとか、子どもの不幸なところを背負《せお》ってやるから、お母さんやお父さんにぶつけておいでという育児がいいわけです。もっといえば、子どもの不始末を、親がちゃんとあやまって、始末してあげることがたいせつなのです。

親が、自分があやまるのはいやだから、子どもに不始末をさせないように、親の思いどおりに育てようとか、がんとおさえこんでしまうのが、子どもをだめにしてしまうわけですね。たいてい、育児がうまくいかない親というのは、自分でこれ以上の面《めん》倒《どう》や不幸を背負《せお》えないとか、ようするに、自分の希望や欲望のほうが、子どもの期待や希望をこえてしまう場合が多いのです、教師の場合もそういうことがあります。

子どもは幼児期から学童期をとおして、近所や地域社会や学校で、あれこれ失敗や不始末をしでかして、周囲の人に迷惑《めいわく》をかけます。そのつど、親や教師に注意はされても、それほどひどくしかられないで、始末をしてもらいながら大きくなっていくのです。そういうことは、大きくなるまで続いていきます。

そんなとき、親や周囲の大人たちが、どのように子どもの失敗や問題を処理《しょり》してきたかということが、おそらく、子どもが大人になり親になったときに、自分の子どもの問題にどのように対応するかということを、ほとんど決めてしまうのだろうと思い

ます。親としてのあり方の世代間伝達という事実です。

私は、自分の子どものしでかす失敗や不始末というものに、あまり悲しみや怒《いか》りを感じません。子どもをその失敗からどう立ち直らせるかということで、ここが親の出番だと、静かな意気込《いきご》みをもつのです。この子がたいした失敗もしないで育ってしまうよりは、はるかにいいのですから。なにもかもストレートに、とんとん拍子《ひょうし》にうまくいく必要なんてないのです。私は本当に、失敗が人格に厚みをますと思っていますから、求めてでも失敗というのはあってもいいと思うくらいです。

育児のもっともたいせつなところは、子どもが失敗したときに、そのときにこそ、親や家族がいちばん頼《たよ》りになるのだというメッセージを、どう伝えることができるかということです。人間は失敗があってこそ、人格に厚みがますのだということを、子どもにどう伝えるかということなのです。

そして、家族というのは、私は、自分の子どもたちにもよくいいますけれど、物事《ものごと》がうまくいっているときには、家族はどうでもいいのです。だから、なにか成功したときのお祝いは、小さなお祝いしかしません。ところが子ども、子どもばかりにかぎりませんが、家族のだれかが病気をするとか、けがをするとか、社会でとんだ不始末をついうっかりやらかすとか、そういうときには、家族はみんなで協力し合って全面的に応援《おうえん》します。そういうときのためにこそ、家族があるのです。だから、そういうときにはみんながやりたいことを、いっときがまんしてでも、ピンチにたたされた家族のために必要なことを手伝う、応援《おうえん》するのです。

こういうふうなことはできるだけやってまいりましたから、わが家の子どもたちは、すこしは安心して失敗ができたと思います。とんでもないことを学校でやっちゃった、先生にひどくしかられた、親が学校から呼び出しをうけたというようなときでも、わが家の子どもたちは、わりあい安心して親にいえたと思います。

いちばん困っているときには、どんなに本人が不注意であろうとなんであろうと、わが家では基本的にはしからないのです。とんでもないことをやってしまったということだけで、子どもは十分に制裁《せいさい》をうけているのですから。

親が「どうしてほしいんだ？」と聞けば、子どもが「先生にこういわれてしまったからあやまりにいってほしい、僕のために先生にあれこれいわれると思うけれど、きてくれなくては困るんだ」というようなことは、ふつう子どもを育てていればよくあることでしょう。「ああ、いってやるよ、そういう場合のためにお父さんはいるのだから」と、そういうときには、それだけをいってあげるだけでいいのです。

そういうふうに、子どもが安心するように、ちゃんと親が失敗をとりつくろってやったからといって、子どもは安心して、また失敗するなんてばかなことはしないのです。そんなことはないのです。極力《きょくりょく》やらないようにしますよ。親にあんなみじめな思いをさせてしまったということは、子どもにとってはこたえますからね。親がかーっとなったりすれば、子どもも自分がやったことを棚《たな》にあげて、言い訳や言い逃《のが》れに終始するでしょう。そんなときこそ、「心配しなくていいんだ、お父さんがいってあげるんだから安心していろ」と、いってやりたいものです。子どもは、親のそう

いう対応を待っているのです。そのときに、「もう二度とこんなことするんじゃないぞ」なんていう必要はないのです。それをいわないがまんというのも必要なのです。「二度とするなよ」とか、「どうしてそんなばかなことをしたんだ」とか、「どうして」なんて聞かれたって、子どもに答えられるものではないですよ。残酷《ざんこく》な質問ですね。

とくに男の子が育ちざかりのころは、こういうことはしじゅうありますよね。私たちの家族の場合も、昭和四六年、四八年、五一年生まれと三人の男の子がいるわけですから、その種のことはなんどもありました。そのたびに、私はふるいたってというとおおげさですが、ああ、これが親の出番だと思いました。喜び勇んでじゃないですが、やっぱりしょんぼりもしますが、謙虚《けんきょ》さ、素直さ、それに責任感といったものを、自分の心のなかで吟味《ぎんみ》しながら、親らしいことをするのはこういう場合なのだと、自分に言い聞かせながら、いろんなところに出向きました。子どもといっしょにあやまりにもいってやりました。「おまえもあやまらなくちゃだめだ。頭をさげて」、なんてことはいわないでいてあげるのです。親は自分のやすっぽいプライドなどはすっかり捨てて、ただただあやまるのです。私はそんなふうに、家庭人として、父親としてやってきました。

そのように不始末をした子どもといっしょに、おわびにいった帰り道のようなときもまた、たいせつな時間ですね。親子であることを強く感じるときです。よく考えてみると、いま自分のすぐそばで、しょげかえっているわが子のやってしまったことは、たいてい、自分も子どものころにやってきたことなのですね。だから、そのことを子

どもに伝えてやればいいのです。お父さんもおまえのような年ごろのときには、おなじようなことをやった記憶《きおく》があるということをね。そういうときこそ、親子が本当に一体《いったい》になれるときでしょう。だんだん大きくなるにつれて、そういうことはしないでいられるように、がまんできるようになれば、それでいいのだというようなことを語りながらの、夜道の思い出はなんどもありますね。子どもが親を信じることができるようになるのは、子どもがもっとも困っている場面で、救いの手をさしだしてあげることだと思いますから。

欠点のある子どもはかならず長所もある

弱点や欠点はどんな子にもあるでしょう。それから、弱点や欠点があると、それに見合った長所がかならずあると思います。欠点しかない人間なんていないわけですから。また、長所しかない人間もいないわけです。みんなおりまぜているわけですから、ある弱点があれば、かならずそれに見合った長所があるはずだと、親は喜べばいいわけです。

たとえば、わが家には整理整頓《せいとん》が本当に下手《へた》で、部屋のなかがいつもよごれている子どもがいます。自分でちゃんとできないので、「あなたは、整理整頓《せいとん》がきちんとできるお嫁《よめ》さんをもらわなくちゃいけないね。でも家にいるときはお母さんがやってあ

げる」といいながら、母親がやってあげるわけです。

そのかわり、自分で整理整頓《せいとん》ができない子は、親の手伝いが上手《じょうず》なんです。妻はよくいっていますね、「この子は整理整頓《せいとん》を親に手伝ってもらっているから、むこうも手伝わなくてはいけないと思って手伝ってくれるのか、あるいは、そういう弱点がある子にはこういう長所があるのか」、といいながらみていますね。親からみると、それに見合った長所にみえるわけです。自分では整理整頓《せいとん》ができないくせに、こちらから頼《たの》んだことはよく手伝ってくれる、そんなところもあるわけです。

なんでもそうだと思います。勉強のできない子は優《やさ》しさがあるとか、家庭の手伝いの労《ろう》をおしまないとか、勉強のできる子は優《やさ》しさがとぼしいとか、あるいは大好きなこと以外だと、頼《たの》まれたことにたいして腰が重いとか、みんないろいろあるのです。ですから、こちらが広くものをみることができれば、みんないい子なのですね。こちらが好みや価値観をせまくしていると、これができない子だ、あれがだめな子だ、というふうにばかり思ってしまいますが、子どもにはだれにも、いいところがかならずあるのです。

育児はまず、そこから出発しなくてはいけないと思います。そのことは本当なのですから、まずそう思いこむところからはじめるのが、育児にあたっての原理原則なのです。

わが家では、どの子も中学や高校時代に、学校の試験で赤点をとらなかった子なんかいませんでした。だいいち、きらいな勉強はあまりやることはないというのが、わ

が家の学校、勉強にたいする心がまえですから。ほかの本当にやりたいこともがまんしてまで、きらいな科目をむりしてやることはないのです。赤点は赤点のままでいいのです。

それでいま、大学生になったり社会人になったりして、なにがどうのってことはありませんものね。赤点をとった子には、たとえば一学期に落第点ですと、夏休みに特別な宿題がでたりするのです。国語の試験が赤点ですと、たとえば夏休み中に新聞の「天声人語《てんせいじんご》」を読んで、そのいくつかに感想文を書いてくるようにとか、美術で赤点をとりますと、絵画《かいが》などの作品を特別に提出しなければなりませんでした。そんな場合に、必要ならば、それらのことを親も手伝ってあげるのです。本人は苦手《にがて》なことなのですから、いっしょにやろうといって、親が手伝ってあげるのです。

子ども時代には、思いきりやりたいことをやっていることがたいせつなのです。そして、欠点や弱点は家族が協力し合って尻《しり》をぬぐってあげるから、安心して好きなことをやっていればいいのです。親がそういうふうに思っていると、子どもたちは大きくなるにしたがって、こんどは兄弟同士がそうなりますよ。自分の弱点や欠点や失敗を、小さいときから、親に尻《しり》ぬぐいしてもらってきていると、やがて兄弟同士でも、それを自然にするのですね。

依頼心《いらいしん》が大きくなって、自立しないなどということはないですから、心配はいらないのです。弱点や欠点をむりしてカバーするような訓練をする必要なんかなくて、弱点は弱点のまま残しておいて、親や兄弟や友人に手伝ってもらって、カバーしてもら

えばいいのです。

それから、かならず弱点や欠点は、そういうことをカバーし合える配偶者《はいぐうしゃ》を、自然に求めるだろうと思います。どうしても必要なものなら、自然にそういうものは与《あた》えられると思いますね。ふだん育児や教育では、あまり意識や話題にのぼらないけれども、とてもたいせつな一面は、友人や家族とたがいに弱点などをカバーし合って、助け合って生きていく力を育てるということです。

そういうふうに、相互《そうご》に安心して依存《いぞん》し合える人は、人を信じる力があるということでしょう。人を信じることができる人が、本当の相互《そうご》依存《いぞん》、言葉をかえていえば協力し合って生きていくことができるのだと思います。人は依存《いぞん》をすることによって、人を信じられるようになるのだと思います。人を信じられるということは、自分を信じることができるということなのです。人間は自分が信じられれば、なまけ者にはぜったいなりません。気力や意欲がでるということは、自分にたいするひそかな誇《ほこ》りや自信に支えられてのことですからね。

子ども時代には、苦手《にがて》なことを克服《こくふく》する喜びよりも、得意なことに熱中する楽しみを十分に味わうことのほうが、基本的にはたいせつなことだと思います。苦手《にがて》なことに労力をさくよりは、好きなことに力をいれるという、生き生きとして成果のあがるやり方のほうがいいと思いますね。

過剰《かじょう》期待は子どもの自由な発達のさまたげ

　親は自分の子どものことを愛していると思いながら、親の一方的な都合《つごう》や願望で、子どもに過剰《かじょう》期待をしていることがあります。子どもにとって親の存在が、重荷《おもに》や負担に感じられるのは、親の過剰《かじょう》な期待や干渉《かんしょう》があるときです。そしてそのことが、しばしば、子どもの自主性や主体性といったものの発達を阻害《そがい》して、社会的に自立した子どもに育たないことの原因にもなります。ときとして、放任より悪い結果をひきおこすこともあります。もちろん、保育者や教育者にもそういうことがありえます。

　過剰《かじょう》期待というのは、たいていの場合、子どもの将来を思ってそうしているのですけれど、じっさいには、あらためて過剰《かじょう》期待をされてみるとわかりますが、されたほうは非常に苦しいものなのです。それがどういう意味で苦しいのかということも考えてみたいと思います。

　三〇年ちかく前になりますが、私がカナダのバンクーバーに子どもの精神医学の臨《りん》床《しょう》を、はじめて勉強しにいったときのことですが、指導教授から過剰《かじょう》期待の意味についてのいい話を聞きました。そのときの指導教授のひとりがマクターゲット先生という人で、チェルノブイリの放射能事故による、子どもたちの精神的な後遺症《こういしょう》をケアするために、WHO（世界保健機構）の研究調査主任になった方です。

　その先生が若いときに、アメリカのジョンズホプキンス大学で教えをうけたのが、自閉症《じへいしょう》を最初に発見した、あの高名《こうめい》なレオ・カナーという、児童精神医学のパイオニ

アのような人でした。レオ・カナーという人は自閉症《じへいしょう》の発見で有名ですが、児童精神医学全般《ぜんぱん》にわたる大きな業績も残しました。

マクターゲット先生は、そのカナー教授から過剰《かじょう》期待の意味についての教えをうけたのです。子どもにたいして過剰《かじょう》な期待をするということは、こちらとしては子どもにたいする愛情のつもりでいても、過剰《かじょう》期待をされている子どもがうける心理的な意味は、拒否《きょひ》されているのとおなじことだということを、マクターゲット先生は教えられたといっておりました。

過剰《かじょう》期待の意味は、子どもの精神保健や子どもの教育、保育にたずさわる者としては、「いろはのい」として、よく知らないといけない基本的な事柄《ことがら》なのです。私もまたこのことを、マクターゲット先生をとおしてカナー教授から教えられたのです。

子どもにたいする過剰《かじょう》期待というのは、子どもの将来をより豊かなものにしてあげたいという、相手にたいする思いやりや愛情のつもりでいるかもしれません。しかし、これはとんでもなくて、子どもが感じている心理的意味は、拒否《きょひ》されていることなのです。なぜかというと、現状のあなたには満足していないんだということを、別の表現を使っていっているだけなのですから。

ですから、過剰《かじょう》期待をされている子どもは、自分がもっている能力以上のまわりの期待で、がんじがらめになってしまいます。そのため、自分でなにをしたいのかという気持ちを失い、ほかの人からの、なにをどうしなければならないという指示や束縛《そくばく》のなかでしか、行動がとれなくなってしまうわけです。自分でなにをしたいかという

ことを、生き生き感じる子どもではなくなってしまうのです。ですから、過剰《かじょう》期待をされる子どもたちは、自発性とか主体性が育たなくなってしまうわけです。

自発性とか主体性を失った子どもの、ひとつの典型的《てんけいてき》な状態に、ミューティズム、かん黙《もく》があります。かん黙《もく》という状態は、言語や言葉の機能は十分もっているのに、人前《ひとまえ》では安心して自分の気持ちや考えを、相手に話して伝えることができなくなっていることをいいます。かん黙《もく》の子どもたちのうち、まだ問題が軽いときには、名前や年齢《ねんれい》や自宅の電話番号などは、質問されれば答えられるのです。しかし、大きくなったらなにになりたいかとか、どんなテレビ番組が好きかといったような、自分で判断して、答えなくてはならないような問題や質問には、黙《だま》りこくってしまうのです。

自分で思ったとおりに、なにかをするという習慣がまったくないか、あるいは不十分なので、親や周囲の大人たちが要望することを実行するだけで、せいいっぱいなのです。自分の判断の基準《きじゅん》を育てることができなかったために、自発的に主体的に、なにかをすることができないのです。不登校の子どもたちのなかにも、共通する問題をかかえている子どもがたくさんいます。仲間たちとの会話が生き生きとはずまないで、一種の対人恐怖《きょうふ》の状態になっていることがよくあります。

そういうふうに、親が自分の思うように、子どもを育てようとしすぎたり、指示したとおりにうまくいかないことでいらだって、さらにきびしくする、これが虐待《ぎゃくたい》です。ですから、子どもをかん黙《もく》にしてしまったり、虐待《ぎゃくたい》してしまうということは、基本的にはよくにていたり、おなじことでもあるのです。

さらによく考えてみますと、度がすぎた早期教育も、おなじ意味をもっているということがおわかりになるでしょう。子どもにいろんなものを与《あた》えるだけ与《あた》えたいという、与《あた》えるだけ一方の愛情だったら、早期教育は子どもにとっても、すこしも悪いことではありません。子どもに与《あた》えるだけで、いやならふり向かなくてもいいというものなら、結果は問わないのですから。結果を問うということは、早期教育の成果をこちらに返してもらうことを、期待しているわけでしょう。いい成績を親に返してほしいとかいうことですね。

成果を気にしないで、淡々《たんたん》と早期教育をするというのは、それはいいと思いますね。それですと子どもは、ある程度のびのびとうちこめると思います。うまくいってもいかなくても、結果がよくても悪くても、成果があがってもあがらなくても、親がそのことに一喜《いっき》一憂《いちゆう》しないのですから。この子の将来のために、早くからこういうことをしておいてやりたいという人がいたら、それまで、私はいけないというつもりはないのです。

けれども多くの場合は、子どもがやってくれる好ましい結果をみて、親は喜ぼうとしているわけです。ときには子どもの苦しみと親の喜びとを交換《こうかん》し合っていることになります。これも度がすぎれば、子どもの虐待《ぎゃくたい》ですね。そういうものは親の自己愛ですよね。

いろんなところに今日《こんにち》の親は、子どもを自己愛の対象にしてしまうのです。いろんな教育をするのも、いろんな洋服を着せるのも、子どものいやがる靴《くつ》をはかせたり、

帽子《ぼうし》をかぶせたり、むりやりいろんな髪型《かみがた》をさせるのも、しばしば、親の自己愛の投《とう》影《えい》なのです。

親の喜びのために、期待にこたえるように、子どもはいやでもいろんなことをさせられてしまう。その結果、子どもはかん黙《もく》になったり自信を失って、自宅や保健室にひきこもったりすることが少なくありません。物理的に暴力をふるわなくても、それは子どもにたいする虐待《ぎゃくたい》です。早期教育も、やりようによってはおなじことですね。

京都大学の霊長類《れいちょうるい》研究所にいらっしゃった河合雅雄《かわいまさお》先生が、サルの研究をしながら人間の社会をみると、現代はしばしば、人間である子どもをペットのように育ててしまって、さあ適当な年齢《ねんれい》になったから、野生のサルの群れのなかで、生き生きと行動してらっしゃいと、解《と》き放《はな》っているようなものだとおっしゃっています。

ペットのように育てられたサルは、洋服を着せられたり、いろんな芸を教えられたり、過剰干渉《かじょうかんしょう》や過剰《かじょう》期待をされて育てられているのです。そして一定の年齢《ねんれい》になったから、さあ、野生のサルの群れのなかで、みんなにまじって行動してこいなんていわれても、社会的行動はとれないわけです。現代はしばしば、そういう育児をしていると、サルの研究で高名《こうめい》な河合《かわい》先生がおっしゃっていたことがあるのですが、本当にそのとおりだと思います。

子どもたちの社会とか一般《いっぱん》の社会というのは、ある意味では野生の社会です。そこにペットのように育てられた子どもたちが、適応できるはずがないのです。子どもたちは保健室ににげこもうとする、自宅ににげて帰ろうとする。あるいは、閉じこもる

ことはよくないことだとわかるものですから、なんとか群れのなかで適応しようとするけれど、非常に奇妙《きみょう》な適応の仕方《しかた》しかできなくなってしまう。それが、あるときはいじめになり、いじめられになり、とても不自然で非人間的な社会的行動になってしまいます。こういう子どもたちにとって、むずかしい社会がくるであろうということを、ずっと早くに河合《かわい》先生は警告《けいこく》していらっしゃったのです。

反抗期《はんこうき》はつぎの成長を準備するとき

子どもは自分を確立していくために、たえず依存《いぞん》と反抗《はんこう》をくり返します。子育てのやっかいさは、親に依存《いぞん》してきながら、それでいて反抗《はんこう》してくることです。ですから、親は子どもにあまり寄りかかられると、ひどく重く感じ、反対に反抗《はんこう》されるといらだったりします。親業《おやぎょう》とはたいへんな仕事だと思います。

けれども、子どもに依存《いぞん》されることは、本当は親にとっては喜びだと思うのです。反抗《はんこう》だって、喜びにならなくてはいけないと思います。私は職業のせいもありますが、子どもの反抗《はんこう》を非常に楽しみにしております。上の子はこの年齢《ねんれい》には反抗《はんこう》したのに、下の子はまだ反抗期《はんこうき》がこないようだといったぐあいで、むしろ心配になったほどです。そして、じっさいに反抗期《はんこうき》がくると「やってるやってる。なかなか手ごわいぞ」、と子どもとすこし距離《きょり》をおきながら、内心、反抗期《はんこうき》のつぎにやってくる成長を楽しみに

しております。

保母さんや先生方によくいうのですが、子どもたちから思いきり依存《いぞん》される保育者になってください、そして思いきり反抗《はんこう》を受け止められる先生になってほしいと。ちょうど、ピッチャーのすばらしいスピードボールを、しっかりとミットに受け取ったキャッチャーの喜びのようなものです。育児や教育をするときには、そんなゆとりがほしいのです。

子どもは親を信じているから反抗《はんこう》しているのだと、認識《にんしき》していればいいのです。いわゆる反抗期《はんこうき》は、三歳前後、就学前後、それに思春期にありますが、この時期は同時に、子どもが急速に成長や発達をするときです。成長するときは、たえず反抗《はんこう》していると思ってまちがいありません。子どもの成熟や発達は、依存《いぞん》と反抗《はんこう》をくり返しながら、らせん階段をのぼるようにして進展していくものです。

三歳、六〜七歳、一二〜一三歳と、そんなに間隔《かんかく》を開けずに、反抗期《はんこうき》がやってくるのがいいようです。そして、子どもが健全に成長するためには、反抗期《はんこうき》はあまりおさえこまないでいてあげるのがいいと思います。けれども、三歳児や就学前後の子どもというのは、未熟《みじゅく》な判断で能力以上のことを、せいいっぱいやろうとしますから、事故と背中合わせの関係になります。ですから、子どもを危険《きけん》から守るような手だては必要だということを、気にかけてくだされぱいいのです。

反抗期《はんこうき》というのは、幼い子どもにとっては、相手に安心できるから反抗《はんこう》できるということなのです。幼い子どもは、相手にたいして安心感がなければ、反抗《はんこう》などできな

いものです。ですから、相手を信じて、安心して自分のいいたいことをいったり、やってみたいことをやっているわけです。そういう機会を奪《うば》われた状態では、自分というものが育たないということも事実なのです。

自主性とか主体性が育たないままで、大きくなっていったとき、いちばん問題がおきるのは、ティーンエイジャーになってからが多いようです。ティーンエイジャーになるまでは、親や社会の保護的な世界で生きていられるわけですから、子どもたちはなんとか問題もなくやってこられます。ところが、保護的な世界を脱《だっ》して、仲間との本格的な社会的生活がはじまろうとするときに、「自分」のない子どもは仲間のなかに入っていけないのです。そして萎縮《いしゅく》をし、とうぜん、逃避《とうひ》したりひきこもったりします。人によっては拒食症《きょしょくしょう》にもなります、ある種のタイプの不登校にもなりますし、家庭内暴力にもなります。それは典型的《てんけいてき》なケースですが、そうでなくてもさまざまな意味での、情緒障害《じょうちょ》的な反応を示してきます。

友達のなかに安心して飛び出していけないのは、まだ、親や安心できる家族を必要としているからなのです。そういうときは、親が守ってあげればいいのです。親的《おやてき》なものに満ち足りていなければ、基本的には、社会的集団のなかには飛び出していけないのです。巣立《すだ》ちのときがくるまでは、安心して巣のなかで育ててもらえばいいのです。親から得るべきものを十分に得て、それと比例して仲間のほうへ、だんだん傾斜《けいしゃ》していくわけです。

ですから、まだこの子は不十分だと思ったら、どうぞ親が保護してあげてください。

いくつになっても帰っておいでと、待っていらっしゃれば、かならず巣立《すだ》ちをしていきますから。かならず飛び立ちますからね。精神的なやすらぎの充電《じゅうでん》のようなものが、気持ちのなかにしっかりと確認できませんと、子どもたちは巣立《すだ》っていけないのですね。そしてそれが切れたらまた戻《もど》ってきて、安心して充電《じゅうでん》できるような家庭が必要なのですね。

家庭というものは、そういうものでしょう。そういう雰囲気《ふんいき》や機能を生みだすのが親の役割でしょう。母なるものというのは、そういうものをいうのではないでしょうか。

人生が長くて五十年といわれた昭和二〇年ころの感覚で、平均寿命《じゅみょう》が八十歳ぐらいになった、いまの時代の子どもを育ててはいけないのです、そう思います。

生命との出会い

私たちの祖先は、母親の妊娠中《にんしんちゅう》の精神保健などの問題が、胎児《たいじ》にさまざまな影響《えいきょう》を与《あた》えるという事実に気づいていて、それを「胎教《たいきょう》」という呼び方で伝えてきました。今日《こんにち》から考えるとあやまりや迷信《めいしん》もありますが、その推測もまじえた経験や直感などによる考え方には、科学的な検証によって正しいとされるものもあり、「胎教《たいきょう》」という発想は多くの示唆《しさ》に富むものです。

ここでは、胎児期《たいじき》の子どもとお母さんが、どういう状態や関係にあったかによって、それ以後の子どもとお母さんの関係にも、さまざまな影響《えいきょう》を与《あた》えるということをお話していきます。

胎《たい》児《じ》学《がく》の進歩

近年の医学ないしその近接領域《りょういき》の発達のなかで、遺伝や癌《がん》や成人病など、いくつもの領域《りょういき》で大きな進歩がみられました。そのひとつに、胎児《たいじ》についてのいろいろなことがわかってきたことがあります。

今日《こんにち》では、胎児《たいじ》といいますか、生まれてくる前の赤ちゃんの映画を、妊娠中《にんしんちゅう》の人たちは保健所の健康教室などで、ごらんになる機会があるかと思います。ああいう映画が、どのようにしたら、あんなにみごとに撮《と》れるのだろうかと思います。

つい三〇年ちょっと前の話ですが、私が学生のころは、生きたままの胎児《たいじ》を鮮明《せんめい》に

みることはできませんでした。学生時代、産科学の時間に胎児《たいじ》心音《しんおん》を聞く練習をするのです。産科用の特別な聴診器《ちょうしんき》を使って、お母さんのお腹《なか》の上から赤ちゃんの心音《しんおん》を聞いて、一分間にいくつかということを数えたりするわけですが、初心者には胎児《たいじ》の心音《しんおん》がよく聞こえないのですね。

ところが、いまでは聴診器《ちょうしんき》で胎児《たいじ》心音《しんおん》を聞く必要がないわけでして、胎児《たいじ》心音機《しんおんき》で音を増幅《ぞうふく》して、とてもよく聞こえるようになりました。さらに胎児《たいじ》の様子もブラウン管にうつしだされて、よくみえるわけです。そのうえ、最近はカラーの映像で、じつにみごとな胎児《たいじ》の姿がみられるようになりました。

私もビデオテープをもっておりますが、『生命創造』という、胎児《たいじ》がお腹《なか》のなかでほんの何ミリかの小さなときから、育っていく様子をうつしだした、たいへんみごとな映画ができております。みなさん、もしごらんになっていない方がいましたら、おそらく全国のどこの保健所でもみせてもらえると思いますので、ぜひ、ごらんになるといいですよ。

そういうふうに、胎児《たいじ》の成長の様子と、それから胎児《たいじ》の精神心理的な問題もふくめて、胎児学《たいじがく》がじつに進歩したのです。それによって、私たちは胎児期《たいじき》から新生児期《しんせいじき》、乳児期そして早期幼児期にかんする、いわば育児の最初のたいせつな部分について、知識をあらたにすることができました。

母親の気持ちが胎児《たいじ》にも伝わる

胎児学《たいじがく》の進歩によって、胎児《たいじ》がお母さんの精神心理的な影響《えいきょう》を、非常に大きくうけるということがわかってまいりました。たとえば、お母さんが精神的にくつろいでいるときには、赤ちゃんもくつろいでいる、やすらいでいる、平和でいるわけです。お母さんが精神心理的に苦痛を感じたり、いらいらしたり、腹を立てたり、悲しんだり、ふさぎこんだりすると、赤ちゃんもそれとおなじような精神状態になるということもわかってまいりました。

お母さんが妊娠中《にんしんちゅう》に胎児《たいじ》によく聞かせた音楽とか、お母さんがよくうたっていた歌で赤ちゃんが生まれたあとに子守をすると、子守歌の効果が大きいということもいわれています。妊娠中《にんしんちゅう》にはまったく別の歌をうたっていて、赤ちゃんが生まれてから急にモーツアルトの子守歌をうたっても、これはだめらしいのです。

ですから、子どもが生まれたときには、これをうたってあげようと思う子守歌を、妊娠中《にんしんちゅう》から胎児《たいじ》のためにうたってあげることがいいのです。そして、お腹《なか》のなかの赤ちゃんを休ませてあげよう、寝《ね》かせてあげよう、なんていう気持ちでいるのが、この時期いちばんいいのですね。

この時期のお母さんの精神心理的な影響《えいきょう》などが、どういうふうに胎児《たいじ》に伝わるかということも検証されつつあります。その一部をご紹介《しょうかい》しますと、妊娠中《にんしんちゅう》に一日や二日ではなくて、二、三週間以上にわたって、精神的につらい思いをしたお母さんから生

まれた子どもたちのなかに、これからお話をするような、精神心理的に不安定な子どもが多いということがわかってきたのです。

この研究調査でいう精神的な悲しみ、怒《いか》り、苦しみというのは、いったいどういう類《たぐい》のことなのかということです。たとえば、夫がほかの女性に浮気《うわき》をしたというのがあります。妊娠中《にんしんちゅう》に夫の不倫《ふりん》が発覚したなんていうのは非常に悲しい、苦しい、つらい、あるいは腹立《はらだ》たしい体験でしょうね。それからこういう事例もあります。自宅を火事で焼失《しょうしつ》してしまった、あるいは、いま妊娠《にんしん》している子どもの前に生まれた子どもを病気や事故で亡《な》くした、あるいは夫が失業した、それから、しゅうと、しゅうとめとの仲がとても悪いなどということがあります。

そこで、どういう実験研究がおこなわれたかといいますと、まず、妊娠中《にんしんちゅう》に三週間以上にもわたって、精神心理的にさまざまな悲しい、つらい、あるいは腹の立つような経験をしてきたお母さんの子ども。つぎに、ごく自然に、非常にやすらいで平和で幸せな妊娠《にんしん》を経過してきたお母さんの子ども。それから、妊娠中《にんしんちゅう》はなんでもなかったけれども、出産してすぐに、おなじような精神的につらい体験をしてきたお母さんの子ども。この三つのグループの子どもたちを、大きくなるまで追跡《ついせき》し観察していったのです。

なぜ三つのグループかといいますと、その子どもの精神的に不安定な原因が、妊娠《にんしん》中《ちゅう》の影響《えいきょう》なのか、出産後の育児の仕方《しかた》の問題なのかを厳密《げんみつ》にわけて考えたいからです。妊娠中《にんしんちゅう》に悲しみ、怒《いか》り、いらだちを強く体験したお母さんは、おそらく出産後も、そ

の気持ちをひきずっていることが多いのでしょう。ですからその結果、育児がうまくできずに、子どもが精神的に不安定になっていくということもありえるわけです。

そのような調べ方をしましたら、妊娠中《にんしんちゅう》そして出産をつうじて、きわめて平和で幸福であったお母さんの子どもと、出産後につらい体験をしたお母さんの子どもとの間には、あまり大きな差はなかったのです。

ところが、妊娠中《にんしんちゅう》にお母さんがとてもつらい体験をした場合、その子どもたちはほかのグループの子どもたちより、いろんな問題を示すことが多いというのです。どのような問題かといいますと、まず、なによりも子どもたちに落ち着きがない、集中力がないのです。こういうふうに申《もう》しますと、みなさん、ひょっとして落ち着きのない子、集中力の悪い子は、妊娠中《にんしんちゅう》にお母さんの精神状態が悪かったと思ってしまうかもしれません。しかしこれはまちがいです、逆《ぎゃく》は真《しん》ならずでありまして、みんながみんな、そうかどうかは別の問題です。

いろんな問題というのは、集中力がない、落ち着きがない、それから感情のコントロールが悪い、喜《き》怒《ど》哀楽《あいらく》の感情の抑制《よくせい》がきかないで強くでるというようなことです。ストレスにたいして、抵抗力《ていこうりょく》が弱いということもわかってまいりました。ストレスにたいして抵抗力《ていこうりょく》が弱いということは、アレルギー体質をもちやすいともいわれます。アレルギーの人が、みんなそうだというのではないですよ。何ちゃんはアトピーだから、お母さんが妊娠中《にんしんちゅう》のとき精神状態が悪かったんだなんて、こう短絡《たんらく》して考えないでください。けれども、妊娠中《にんしんちゅう》に精神状態が持続的に悪かったお母さんの子どもたち

に、アレルギーをふくめて心身のストレスにたいして、抵抗力《ていこうりょく》が弱いことが多いということも事実なのです。一般的《いっぱんてき》に、ストレスにたいして、身体的にも精神的にも、いろんな程度に抵抗力《ていこうりょく》が弱いということです。そして、感情的にも不安定な状態が多いということなのです。

産みたくなかった母親の心理と胎児《たいじ》

チェコスロバキアという国が、いまのチェコとスロバキアという、二つの国にわかれる以前の話であります。旧チェコスロバキアという国は、当時、共産主義国家のなかでは唯一《ゆいいつ》、人工妊娠中絶《じんこうにんしんちゅうぜつ》がしやすい国だったそうです。

チェコスロバキアではいちおう審査《しんさ》があるのですが、審査基準《しんさきじゅん》がそのほかの共産主義国家ほど、きびしくはなかったそうです。したがって、妊娠《にんしん》したけれども産みたくないという女性は、いろんな理由をつけて人工妊娠中絶《じんこうにんしんちゅうぜつ》を申請《しんせい》します。それにたいして、国家の委員会のようなところで判定するのですが、その委員会で承認《しょうにん》されると、人工妊娠中絶《じんこうにんしんちゅうぜつ》がおこなわれるわけです。ところが、理由が不適切であるとか不十分であるとかで、却下《きゃっか》されてしまうことがあります。そうすると、本来ならば産みたくなかった子どもなのにという思いで、ずっと妊娠《にんしん》を継続《けいぞく》するわけですね、そして、結果として出産するわけです。人工妊娠中絶《じんこうにんしんちゅうぜつ》をしたかったのに却下《きゃっか》されたからという、不

快な気持ちをもち続けながら、まあ半分、しかたなく産んだということになるのかもしれませんね。

ですから、妊娠《にんしん》を望んで、生まれてくる子どもを大歓迎《だいかんげい》して、胎生期《たいせいき》を育てたというのとはおよそちがうわけです。人工妊娠中絶《じんこうにんしんちゅうぜつ》を申請《しんせい》したにもかかわらず、却下《きゃっか》された女性から生まれた子どもを、研究者はひそかに追跡《ついせき》して調査したのです。そして無《む》作為《さくい》に抽出《ちゅうしゅつ》した、おなじ月年齢《げつねんれい》の子どもたちとペアマッチングして、その後ずっと追《つい》跡《せき》調査していきました。そうしましたら、その子どもたちは妊娠中《にんしんちゅう》に三週間以上にわたって、精神的な苦痛を体験したお母さんから生まれた子どもと、非常によくにているところが多いということがわかったそうです。

おそらくそれも、母親の妊娠中《にんしんちゅう》の精神的なストレスによるものであり、望まない子どもを産まなくてはならないという不満、あるいは申請《しんせい》を却下《きゃっか》した委員会にたいする、不満や怒《いか》りからきているのかもしれません。いずれにしろ妊娠《にんしん》を喜べない、ハッピーではないわけですね。望まない妊娠《にんしん》ほど、母子にとって不幸なことはないのです。このように、胎生期《たいせいき》の意味の大きさについても、実験、観察の結果、いろんなことがわかってきたのです。

母体と胎児《たいじ》の交流のしくみ

では、なぜ赤ちゃんがお母さんの持続的なストレス、あるいは悲しみ、怒《いか》り、精神保健の悪さというのを感じたり、その影響《えいきょう》をうけたりするのだろうかということです。私たちも、ストレスを体験すると血圧があがるとかしますが、そのときには、私たちの体内物質のいろんなもののバランスが変わります。下垂体《かすいたい》・副腎皮質系《ふくじんひしつけい》の働きが活発になり、甲状腺《こうじょうせん》の機能も高まりますから、体全体《からだ》のホルモンや体内物質のバランスが変わります。かっとなるとか、悲しみを感じるとか、いらだちを感じるとか、腹が立つとかすると健康に悪いということは、よく聞いていらっしゃると思います。それは体のなかの生命的な、生物的な環境《かんきょう》が変わるということなのです。

妊娠中《にんしんちゅう》の母親の場合には、体内のいろんな物質のかなりのものが胎盤《たいばん》を通過して、胎児《たいじ》の体内に伝わるらしいのです。ですから、お母さんの体のなかでおきている、生物学的で同時に感情的ともいえる環境《かんきょう》と、おなじような生理的環境《かんきょう》が胎児《たいじ》のなかに、もたらされるわけです。

よくお母さんと子どもは、血がつながっているという言い方をしますが、直接まじり合うようには血はつながっておりません。つながっていたらたいへんですね。血液型のちがう母子というのはいくらもいるわけです。つながっていたら生きていけません。A型とB型だったらAB型になるかというと、そうはいきません。親子ともども血液型不適合でショック死してしまいます。異種の血液を輸血されるのとおなじ結果

になるわけで、けっして血はつながってないのです。胎盤《たいばん》を介《かい》して毛細血管《もうさいけっかん》で背中合わせに接しているだけで、その間で、たいせつなものをやりとりをしているわけです。

お母さんが消化器から吸収した栄養と、肺で吸入した酸素とを、胎児《たいじ》は胎盤《たいばん》をさかいにお母さんからもらって、生命や体をどんどん大きくしていくのです。赤ちゃんが大きくなるときには排泄物《はいせつぶつ》もだしますから、その排泄物《はいせつぶつ》や二酸化炭素《にさんかたんそ》など不要になったものは、胎盤《たいばん》を介《かい》して母親の血液のなかに送りこまれ、お母さんの尿《にょう》や呼気《こき》といっしょに排出《はいしゅつ》してもらうわけです。血液はまじりませんけれども、酸素や栄養物や老廃《ろうはい》物《ぶつ》はこのように相互《そうご》に行き来しているのです。それはじつにみごとなものです。

ですから、お母さんは赤ちゃんの分《ぶん》も食べなくてはいけませんし、赤ちゃんの分《ぶん》も呼吸しなければいけません。同時に、自分のものと赤ちゃんのいらなくなったものを、おしっこにして捨てなくてはならないのです。お母さんは、そういうことをみんなやっているわけです。母子の絆《きずな》というものは、こういうところからも、意識的にも無意識的にもできていくのだと思います。そしてそのときに、お母さんの体に入ったもので、胎児《たいじ》にとって不利なものは、できるだけ胎盤《たいばん》を通過させないように、胎盤《たいばん》が選《せん》択《たく》するわけです。赤ちゃんのいらないものはとらない、必要なものはお母さんの血液からとり、自分のほうでいらなくなったものは、お母さんに返すということをしているのです。しかし、残念ながら、適切な選択《せんたく》ができないものもたくさんあるのです。

たとえば、有機《ゆうき》水銀《すいぎん》というのは、お母さんの体のなかにあると、胎児《たいじ》にいってしまいます。ですから、胎児《たいじ》性水俣病《せいみなまたびょう》があるわけです。有機《ゆうき》水銀《すいぎん》の胎盤《たいばん》通過をさせないよ

うなしくみがあれば、胎児性水俣病《たいじせいみなまたびょう》はないわけです。けれども、残念ながら通過してしまうのです。エイズのビールスもそうですし、梅毒《ばいどく》スピロヘータも通過します。ですから、胎児性《たいじせい》エイズとか、胎児性梅毒《たいじせいばいどく》というのがあるのです。赤ちゃんが直接とらなくても、お母さんがとると、胎盤《たいばん》を介《かい》して赤ちゃんにいってしまう。多くのものは守られますけれども、不幸にして守られないものもたくさんあるのです。胎盤《たいばん》が選択《せんたく》できないものはたくさんあるのです。

胎盤《たいばん》をとおってしまう母親の心の動き

それとおなじように、お母さんの精神状態の変化を象徴《しょうちょう》するような物質の、かなりのものも胎盤《たいばん》を通過するらしいのです。ですからお母さんが悲しみを感じると、赤ちゃんも悲しみににた感情になるし、お母さんがふさぎこむと赤ちゃんもふさぎこむし、それはじつにみごとに映像でも観察されていますよ。お母さんがうれしそうにしていると、赤ちゃんもやすらいでいるのです。お母さんが苦痛を感じ、悲しみを感じ、怒《いか》りを感じると、赤ちゃんもそれにちかい感情を経験して興奮するのです。そういうことが、今日《こんにち》では胎児《たいじ》医学で検証されるようになりました。

胎児《たいじ》も退屈《たいくつ》なときには、指しゃぶりをしていますし、羊水《ようすい》があまくなると、にこにこして飲みます。羊水《ようすい》がにがくなると、口をへの字にむすんで、怒《おこ》ったようにして手

足をつっぱるのです。羊水《ようすい》のなかにあまい水をいれたり、にがい水をいれたりする実験が、一部でおこなわれているのです。こんなことを実験させるお母さんも、勇気があると思いますが、細心《さいしん》の注意をはらって無菌《むきん》のあまい水をいれると、赤ちゃんは喜んでぱくぱく飲みます。にがい水をいれると、口をへの字にむすんで手足をつっぱって怒《おこ》るのです。ホタルみたいに、あっちの水はあまいぞ、こっちの水はにがいぞと、そういうようなことを実験的にやって、胎児《たいじ》の態度や、大きくなれば表情さえも観察されるようになってきたのです。

それから赤ちゃんは、お母さんのお腹《なか》の皮膚《ひふ》や筋肉をつうじて聞こえてくる音楽にも、好《す》き嫌《きら》いを明らかに示します。ご存じの方もいらっしゃるかもしれませんが、一般的《いっぱんてき》に、胎児《たいじ》はモーツァルトやビバルディが好きです。ベートーベンはあまり好きではありません、ロックもきらいなようです。けれども、ロック音楽に夢中になっていたお母さんから生まれた子が、落ち着きのない子どもになるかどうかということは、わかってないのです。そこまではまだ研究されていませんが、もしかするとそういうことがあるかもしれませんね。

逆に、妊娠中《にんしんちゅう》にお母さんがモーツァルトやビバルディばかり聞いていた子どもは、どんなに情緒《じょうちょ》が安定して育っていくかということも研究した人はいません。ですから、そういうことで差がでるかどうかはわかっていませんが、ありそうな気配《けはい》はありますね。もっともはっきりしていることは、お母さんが妊娠中《にんしんちゅう》にうたっていた歌やよく口ずさんでいた歌が、生まれたあとの赤ちゃんの子守歌に、非常に効果があるというこ

とはわかっているのです。

出産直後から母と子はいっしょがいい

それから胎生《たいせい》医学からひきつづいて、周産期《しゅうさんき》医学の専門家たちが、この十何年の間に、私たちにつぎつぎと新しい知識を教えてくれました。それは出産直後から、どのような母子の関係がいいのかという研究の結果です。

近代の医学や医療《いりょう》では、健康な赤ちゃんが生まれますと、「元気な赤ちゃんですよ」とか、「男の子ですよ」、「女の子ですよ」といって、お母さんに赤ちゃんをみせたあと、すぐに新生児室《しんせいじしつ》へ引き取られます。翌日からは、母子はそんなにいったりきたり接触《せっしょく》はしないで、退院のときにはじめて、赤ちゃんがお母さんのところへ返されるのです。そういうのが、ふつうの産院のあり方です。新生児室《しんせいじしつ》は温度も湿度もよくコントロールされていて、さらに滅菌《めっきん》された部屋なので、赤ちゃんの健康を維持《いじ》するには、最適な条件がととのえられているわけです。一週間ほどの入院の間は、ときどきお母さんがみにいくとか、授乳のときだけ赤ちゃんをちょっと預かって、またすぐに新生《しんせい》児室《じしつ》に返すというのがふつうなことなのです。そして、母親のところに赤ちゃんが戻《もど》されるのは退院のとき、約一週間ぐらいのブランクのあとなのです。

こういう出産直後の人間関係、母子関係、あるいは健康管理というものが自然なこ

となのか、不自然なことなのかということを、調べようと考えた英国の研究グループがありました。その後、英国だけではなくて、おなじような研究がアメリカでもおこなわれました。近代的な病院で長い間おこなわれてきた、出産と入院中の母子の関係が、その後の心身の健康や親子のあり方として、広い視野からみて、本当に最善なのか、もしかして、不自然なやり方なのかもしれないと考えた研究者たちがいました。

そこで、こういう実験が、英国で最初におこなわれました。母子のどちらかに特別な異常があったり、未熟児《みじゅくじ》であったりしたら、これは話は別です。赤ちゃんが健康な状態で生まれてきたときには、お母さんのところへ出産直後から退院まで、ずっと預けっぱなしにしておくというグループと、従来どおり、赤ちゃんが生まれると一目《ひとめ》みせてすぐ新生児室《しんせいじ》へ引き取って、翌日からは授乳のときだけ連れてくる、そしてお母さんへ赤ちゃんを戻《もど》すのは退院のときというグループ。この二つのグループにわけて、その後ずっと母子を学齢《がくれい》くらいまで、追跡《ついせき》して観察をしていきました。そうしましたら、当初に予想や想像された以上に、二つのグループに大きな差がいろいろと観察されたのです。

最初の実験的な研究は、生まれたらすぐ母親のところへ赤ちゃんをおいて、看護婦の手を借りて、育児をしながら産後の静養《せいよう》をするというやり方でおこなわれました。こういう方法に協力してくれるお母さんはいませんかということで、ロンドンのシティセンターにある産院と、郊外《こうがい》にあるもうひとつの産院の二つとで、お母さんたちによびかけました。

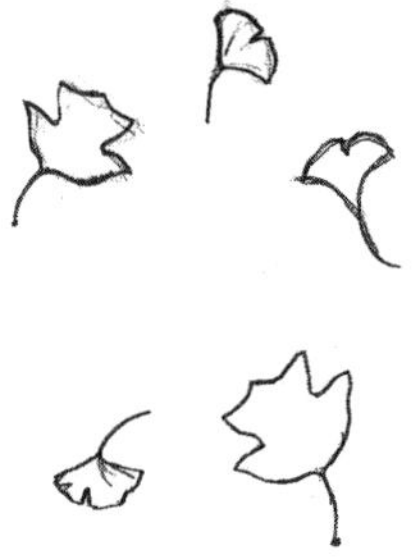

一定の研究成果がでた段階で、研究者たちは学会でリポートしたのですが、そのときにほかの研究者はどういう反応《はんのう》をしたかといいますと、「そういう実験的なことに賛成するお母さんは、それだけ特別な母親なのだ。だから、その後の育児にも一定の傾向《けいこう》や影響《えいきょう》があるのはとうぜんで、結果がことなっても不思議ではない」という異論でした。

確かに、そういうことに協力をしようというお母さんは、特別なお母さんだから、特別な育児をする意欲《いよく》をもったお母さんであり、したがって子どもの様子がその後、ちがうということはありえるといわれれば、それはそれで、実験した研究者は簡単に返す言葉はないわけです。

こんどは二つの産院でどういう方法をとったかといいますと、たとえば、偶数日《ぐうすうび》に出産した人はAの方法で、奇数日《きすうび》に出産した人はBの方法というように、いってみれば、それまでどおりの普通群と新しいやり方の実験群にわけたのです。普通群は従来の産院でやってきた方法、実験群は生まれるとすぐお母さんのもとにおかれる方法です。普通群のやり方は、従来の近代的な産科学《さんかがく》が長い年月にわたってやってきた方法なのだから、それはそれで、今日《こんにち》の最善の方法なのです。また、実験群というのも、予備的な研究の結果、もっといい成果を生むかもしれないということが、仮定されるものなのだから、たまたまどちらになっても、母子にはそう迷惑《めいわく》をかける方法ではないということで、実験はスムーズに進行したようです。

どちらも高名《こうめい》な産院ですから、その二つの産院によせられる市民の信頼《しんらい》は大きいわ

けでして、そこでおこなわれることだからということで、じっさいに実験がおこなわれたわけです。出産日が偶数日《ぐうすうび》であれば従来の普通群、奇数日《きすうび》に赤ちゃんがたままた出産すれば、それだけで実験群のほうに入ってしまうわけです。もちろん、どちらかの方法に最初から強い希望をもっている人には、その方法で出産後の母子のケアーがおこなわれたことはとうぜんです。

ですから、従来どおりの普通群も、あらたな実験群も、とくにどういうタイプのお母さんであるとかは考えられなくなるわけです。潮《しお》の満《み》ち引《ひ》きなんかいろいろあったりして、偶数日《ぐうすうび》にはどういう体質の人が出産するなんてことを、いう人がいるかもしれませんが、まあそんなことまでは、あまり考えなくてもいいとしましょう。それでやりましたら、どういう結果がでたかということです。

経過が順調ですと、一週間ほどして退院していきます。そして、母子の定期健康診《しん》断《だん》をしていきます。とくに子どもの健診《けんしん》だけでなく、母親の育児態度もみていくのです。一か月健診《けんしん》、二か月健診《けんしん》、三か月健診《けんしん》をというぐあいに、母と子をフォローアップしていくわけです。健診《けんしん》の場所はくふうがなされていて、乳児を診察《しんさつ》するための診《しん》察台《さつだい》や身長・体重の計測器などを、一定の条件で配置しておくわけです。そして、決まった手順で赤ちゃんを引き取って、診察《しんさつ》していきます。さらに、その様子をビデオテープでずっと記録しておいて、あとでその内容を検討するのです。

それでわかったことは、普通群のお母さんは、「さあ、赤ちゃんをこちらにください」と看護婦さんにいわれると、さしだされた看護婦さんの手に赤ちゃんを、さっと

わたしてくれる、そういうお母さんが多いということがわかりました。ところが、実験群のお母さんのほうは、「さあ、どうぞこちらに」と看護婦さんが手をさしのべても、診察台《しんさつだい》まで、自分で連れていこうとするお母さんが多いのです。そして、赤ちゃんの着ている服を、自分でぬがせようとするお母さんが多いのです。普通群のお母さんは、看護婦さんに預けっぱなしでみている人が多い、そして、物理的にも心理的にも、実験群の母親よりやや客観的にみているのです。これは、実験のビデオテープをみせてもらいましたけれども、じつにみごとなものですよ。

実験ですから、診察室《しんさつしつ》には意図的に一定の条件や設定がなされてあります。衝立《ついたて》なんかも立てまして、その裏側に体重や身長をはかる計測器をわざとおいておくのです。そしてお母さんにひとこと、「ちょっと身長と体重をはかりますからね」といって、看護婦さんが赤ちゃんを衝立《ついたて》の裏にすっともっていくわけです。

普通群のお母さんというのは、わりあい「はい」といって、そのまま待っていらっしゃる。ところが実験群のお母さんの多くは、衝立《ついたて》の裏側をのぞきこむということがわかりました。それから、診察がもうそろそろ終わりそうだなと思うと、実験群のお母さんはすばやく赤ちゃんのところに寄ってきて、自分で服をまた着せようとします。普通群のお母さんは、看護婦さんが着せて、戻《もど》してくれるのを待っている傾向《けいこう》が強い、傾向《けいこう》がです。例外はたくさんありますよ、もちろん。ひとり残らずそうだというのではありません。けれども、おおぜいの母親で観察しますと、はっきりそういうちがいがでてくるわけです。

こんどは家族の了解が得られた場合だけですが、おなじようなことをおなじような事例で、つぎのような観察がなされました。家庭のなかに常設のテレビカメラを設置し、母親の育児行動のすべてを一定のやり方で、可能なかぎり記録したのです。お母さんにはできるだけカメラなんか意識しないで、自由に自然のままの気持ちで育児をしてもらいます。最初はカメラがあるので、ぎこちなかったりするのですが、そのうちに、自然に育児ができるようになるようです。

その観察の結果でも、実験群と普通群のお母さんの間には、かなりはっきりした相《そう》違《い》がでてきました。たとえば実験群のお母さんは、赤ちゃんが泣くとすぐやってくるのですね。ところが普通群のお母さんのほうは、どうも赤ちゃんのところにくるまでの時間がかかる、ということがわかりましたし、しばしば、やってこないことさえあるということもわかりました。

ようするに、赤ちゃんが泣いてお母さんをよぶと、すばやくやってくるほうが実験群の母親に多く、反応がにぶいお母さんは、明らかに普通群に多いというわけです。そして、おむつを取《と》り替《か》えたりするときにも、赤ちゃんが言葉の理解ができるできないに関係なく、いろんなおしゃべりや言葉かけを多くするほうが実験群であり、少ないほうが普通群のお母さんに多いのです。これらは平均的な傾向《けいこう》です、そうでないケースはたくさんありますが、一般的《いっぱんてき》にはそういうこともわかってまいりました。

そのほかさまざま、ずいぶんいろんなことがわかってきたのです。それで、出産直後から母子がいっしょにいないことの不自然さということに、専門家の注目があつ

まってきています。そして、出産直後からの母子関係のあり方が、その後の育児行動にしらずしらずのうちに、無視できない大きな影響《えいきょう》を与《あた》えているということを、その研究は示しているのだと思います。

　そういう事実が明らかになりますと、そのつぎは実験しやすく、十分に意図的な方法が可能な動物実験がおこなわれます。ヤギとかウサギとかネズミとか、イヌとかサルとか、いろんな動物で、出産直後、一定の時間母子をひきはなしてから、お母さんのところへ赤ちゃんを戻《もど》すと、その後の育児行動にどういう影響《えいきょう》があるかを追跡《ついせき》して観察していきます。出産直後十五分後にする、三十分後にする、一時間後にする。あるいは三時間、数時間、二四時間後にするというふうに、いろんな時間で母子をひきはなして、その後の育児行動に、どのような影響《えいきょう》があるかどうかということを調べるのです。

　いろんな程度に、動物はみんな強い影響《えいきょう》をうけました。いちばん顕著《けんちょ》で、わかりやすい例ですが、ヤギの場合には、出産直後一時間、母子をひきはなすだけで、もう母親はほとんど育児をしなくなります。赤ちゃんヤギがおっぱいをもらいに、お母さんのところにちかづいても、にげたりけとばしたりします。

　ですから、今日《こんにち》では、できることなら出産直後から、お母さんがすぐに育児をしたほうがいいという考え方は、ほぼ常識なのです。けれども、産院によってはサービスのつもりで、母子ともに健康なのに、お母さんは退院して家へ帰ったら、また育児や家事がたいへんなのだから、病院にいるうちぐらいゆっくり休んでいきなさいといっ

て、新生児《しんせいじ》室《しつ》で面倒《めんどう》をみてくれる産院が少なくないのです。しかしそういうことが、その後の母親の育児機能に与《あた》える影響《えいきょう》というのは、おそらく無視できないほど大きなものがあると思います。そういうことが、だんだん明らかになってまいりました。

人間と動物とをおなじように考えるわけにはいきませんし、動物は本能的に機能するところが多いのにくらべて、人間は学習的に行動し、生きていくところが大きいことは確かです。たとえば、心理学者の岸田秀氏は「人間は本能が壊《こわ》れた生きもの」といっていますし、精神医学者の福島章氏は「人間の母親の母性ひとつを考えてみても、本能としての特性の上に文化的な学習が加わって機能するものだ」と指摘《してき》しています。そして、ここに紹介《しょうかい》してきた母子関係の研究は、母親の育児行動が、出産直後からの母子のあり方という環境《かんきょう》によっても左右されるものであり、その事実を動物実験は、より極端《きょくたん》な形で、私たちに提示してくれたものだと思います。

そして、近年の私たちの言動は、産院のあり方や精神文化の風潮《ふうちょう》をみましても、物理的にも心理的にも、故意《こい》に母性の本能の部分をこわそうとしているように思えてなりません。

乳児期に
人を信《しん》頼《らい》できると
子どもは順調に育つ

人生のはじめ、ほかの人との関係をスタートする乳児期に、赤ちゃんはどのように育てられることがもっともいいのか、どうすれば子どもの気持ちが生き生きと健全に育つのか、ということを考えてみようと思います。私は二〇年以上も、保育や育児について話し合ったり勉強したりする会を、東京や神奈川など各地の保育者や若いお母さんたちと、もう何百回どころか千回をこえるほど多く積み重ねてきました。そのつど、私たちはできるだけ広い範囲《はんい》での発達論とか成長論とか成熟論《せいじゅくろん》、あるいは臨床者《りんしょうしゃ》や研究者たちの、いろんな議論や実験や観察などの報告を勉強してきました。それと自分たちのクリニックや、保育園、幼稚園、学校、家庭、地域社会などで接する子どもたちとの経験を、時間をかけて検証してまいりました。

そのなかで、今日《こんにち》の日本の社会で子どもとか親子の問題を考えるために、もっとも意味深いと思う発達論のひとつに、エリクソンという人の発達論があります。エリクソンの書物に書かれていることをそのままではなくて、現代の日本の子どもたちをみながら、子どもたちの健全な発育のためには、彼の理論をどのようなぐあいに応用して考えるのがいいのか、私の考え方を述《の》べてみようと思います。

多民族国家アメリカでのエリクソンの研究

エリクソンは長い年月をかけて、人間のライフサイクルの意味や、健康・不健康な

人間の存在のあり方をみつめてきた、精神分析家《ぶんせきか》であり臨床家《りんしょうか》です。

彼の業績のなかで、私がもっとも重宝《ちょうほう》な学び方をしているところは、人間が精神的に健康に、健全に生きていくためには、とくに社会的な存在として安定した生き方をするためには、乳児期から老年期まで、どういうことに気をつけて、どのような課題をしっかりと消化していくべきかを示してくれたところです。そしてそれが、今日《こんにち》のわが国の社会の病《や》んだ部分と、子どもや若者の病《や》みぐあいを考えたり解決するために、非常に大きな示唆《しさ》を与《あた》えてくれると思えるところです。

エリクソンは人間のライフサイクルにかんする多くの事柄《ことがら》を、長い年月をかけて実証的に検討してきました。そして、自分がなぜこのようないい研究ができたかということについて、彼はアメリカという多民族国家に住んでいたからだといっています。なぜ多民族国家がよかったのかということについては、それは人種のるつぼといわれるぐらい、いろんな民族の人たちが世界中からあつまって、いっしょに暮らしているからだといっています。じっさいエリクソンもアメリカ国籍《こくせき》をもつユダヤ系デンマーク人であり、アメリカに移住してきたということでは、もともとは外国人といってもいいでしょう。

人種のるつぼといわれるアメリカに住んでみると、本来、世界のあちこちの国籍《こくせき》だった外国人ばかりが、つぎつぎに移住してきていろんな考えや思想、いろんな文化や伝統や宗教をもちこんで、そのまま生活しているわけです。それぞれが、それぞれのやり方で生活しているのです。けれども、そのような多民族国家の家庭や学校、地

域社会などで、どんなやり方で子どもが育てられていても、健康で健全に育つためには、このことだけはぜったい共通しているという部分を、エリクソンはぬきだす作業をしてきたのです。

エリクソンは、子どもをどんなやり方で育て教育していても、この部分だけは省略できない、あるいはこうやらなければ健全に育たないという、いわば必須《ひっす》ともいえる基本的な要件とはなにかということを、私たちに示してくれたのです。

さらにエリクソンは、乳児期に、幼児期の前半に、幼児期の後半の児童期に、学童期に、思春期に、青年期に、若い成人期に、そして壮年期《そうねんき》や老年期までの人間のライフサイクルの各段階で、こういうことさえきちんと満たされていれば、人間はほぼまちがいなく精神的に健康に、社会的にも成熟《せいじゅく》のプロセスを歩《あゆ》むことができますよ、という課題のようなものをぬきだして提示してくれたのです。人間のライフサイクルをとおして、社会的存在としての人間の健全な、同時に不健全なありようを提示してみせてくれたのです。これはほんとうにすばらしい、生きた臨床《りんしょう》研究であります。今日《こんにち》からみても、本当にすごい気づきだと思います。「ああ、こういうことなのか」ということが、あらためてよくわかります。

不健康な状態で、あるいは社会的な人間関係の場に適応できないで、苦しんでいる現代の少年や青年をみていると、なるほど、エリクソンのいうその部分がぬけ落ちている、あの部分が不足していると思うものが、まちがいなくあるのです。けれども、ぬけ落ちた部分や不足した部分を、みんなで確実におぎなってあげることによって、

少年や青年たちはその困難から脱出《だっしゅつ》することができるのです。

よくそういう共通部分をみつけだしたという意味では、エリクソンという人は本当に天才の人だと思います。

エリクソンによる乳児期の発達課題

エリクソンは、健全な発達や成熟《せいじゅく》のための要件を総合して「クライシス」という言葉でよんでいます。クライシスというのは、翻訳《ほんやく》すれば危機ないし危機的な状態ということです。人間のライフサイクルのそれぞれの時期にのりこえなければならない、私たち日本人的な感覚でいえば、「達成しなければならない危機的な問題」があると、こういうふうにエリクソンはいっているわけです。ライフサイクルにおけるそれぞれの段階には、こういうことが達成されなければ、人間が健康に育つための、危機的な問題が生《しょう》じるということをいっています。日本語的にいいますと、育児課題、発達課題、教育課題というふうに、課題という言葉で考えるほうが、理解しやすいかもしれません。

人間はそれぞれの発達や成長の段階で、周囲の人や社会的環境《かんきょう》から、年齢《ねんれい》や発育相応のことをあれこれ要求され、それらの要請《ようせい》にこたえようとして、心理的な努力をします。人間はだれもが、それぞれの発達の過程や段階で、周囲からの要求に自分を適

応させるために、のりこえたり解決をせまられたりする問題に、つぎつぎと直面します。そのときどきで、私たちがどのような態度をとるかは、それまでに習得した運動能力や、知的能力、情緒的《じょうちょてき》、社会的な技能や機能を、どのように応用することができるかということで決まります。

そのような適応を求められたとき、知的能力や運動能力だけではどうにもならないことを、不登校、家庭内暴力、拒食症《きょしょくしょう》、暴走などの状態を示す子どもや若者たちの例で、私たちはもう十分に教えられてきました。秀才でスポーツ万能であった少年が、思春期以後、不登校になり激《はげ》しい家庭内暴力を示すようになった結果、両親に殺害されるといったいたましい事例を私たちは知っています。拒食症《きょしょくしょう》の少女が、まじめな優等生タイプで、親や周囲の期待に一生懸命《けんめい》にこたえようとする子であった、ということもよくあることです。

エリクソンは、周囲の人や社会からの要請《ようせい》と、個人がそれに適応していこうとする、心理的努力との間に生《しょう》じるストレスや緊張《きんちょう》を、「心理的社会的危機」とよびました。

人間一人ひとりの発達や成熟《せいじゅく》は、この危機や危機的課題をひとつずつのりこえていく行程《こうてい》を意味するのです。しかし、それはライフサイクルのそれぞれの段階で、それ以前に習得し、達成した機能を駆使《くし》しなければ、危機的状態（クライシス）をのりこえていくことはできません。ですから、ひとつの発達や発達段階への到達が、つぎの発達を準備していることになるのです。

しかもその場合、運動能力や知的能力の発達は、だれの目にもみえやすいのですが、

人間の人間たるゆえんともいえる、高度のコミュニケーション機能のもととなる社会性や情緒性《じょうちょせい》の発達は、今日《こんにち》の多くの家庭や学校における育児、しつけ、教育のなかでは往々《おうおう》にしてみのがされたり、無視されたりしているのです。そのことをエリクソンの研究は、あらためて私たちに教えてくれているのです。

それでは、どういうことが乳児期の育児課題なのでしょうか。人間が生涯《しょうがい》を健全に、健康に育ち機能するために、スタートとしての乳児期に、どういうことが育児上のテーマとして、たいせつなことなのかということです。それはひとことでいうと、「人を信頼《しんらい》することができるように育てる」ということです。エリクソンは「基本的信頼《しんらい》」、「ベーシック・トラスト」という表現をしました。「人を信頼《しんらい》する感性や感覚は、乳児期にもっとも豊かに育つ」、こういっているのです。豊かな生涯《しょうがい》を送るために、人生のスタートでもっともたいせつに育てられなければならないことは、人を信《しん》頼《らい》することなのです。

現実には、一〇人いれば一〇とおり、一〇〇人いれば一〇〇とおり、人にたいする信頼感《しんらいかん》の強い人と弱い人がいるのです。裏側からみますと、不信感の強い人からそうでない人まで、いろんな人がいるということです。基本的信頼《しんらい》と不信の感情には、個人差があります。一〇〇人の人の血圧をはかれば一〇〇人一〇〇とおり、視力も身長も体重もみんな、一〇〇人一〇〇とおりあるように、このような個人差は、確かにもって生まれた、ある種の遺伝体質や素質のようなところもあるでしょう。けれども、それより、乳児期にどのように育てられたかということが、はるかに大きな意味をも

つと思います。

どうしたら人を信頼《しんらい》できるようになるか、それはエリクソンはこのようにいっていると思います。それは赤ちゃんの側からみますと、自分の望んだことを、望んだとおりに十分にしてもらうことであります。ですから、乳児期の理想的な育児があるとしたら、理想というのは現実には不可能なことではありますが、理想的な育児があるとしたら、親は赤ちゃんが望んでいることを、望んでいるとおり、全部そのとおりにしてあげるということです。そのことが、子どもが人を信頼《しんらい》できるようになる、第一歩だと思うのです。

赤ちゃんが望んでいることならば、なにをどれだけしてやっても、やりすぎということはありません。ですから、乳児期の育児には過保護ということはないと思います。

赤ちゃんが望んだことは満たしてあげる

三〇年も前のことですが、ヨーロッパの学者や研究者や臨床家《りんしょうか》の間で、赤ちゃんが望んでいることは、どんなことでも無条件で満たしてあげたほうがいいか、そうしないほうがいいかで、意見がわかれていました。

子どもがなにかを望んだとき、いつでもなんでもしてもらえるのだとか、泣いて要求すれば、なんでも思いどおりになるのだという育て方をすることは、子どもの依頼《いらい》

心《しん》を強くするだけかもしれない、非現実的な願望をもたせるだけかもしれないし、その結果、きわめて依存心《いぞんしん》の強い、依頼心《いらいしん》の強い、自立をしそこなう子どもに育つ可能性があると、熱心に主張した人たちもたくさんいたのです。

結論はわからないから、乳児院で実験的な育児や養育をしたのです。研究、観察のなかから、ここでは深夜の授乳だけを例にとってご紹介《しょうかい》します。

赤ちゃんを二つのグループにわけて、一方は、泣いてもなにしても深夜には授乳しない、昼間も規則正しく乳児院のやり方で定時授乳を守る。もう一方は、子どもが望むたびに授乳をするというふうに、実験的な育児をしました。子どもが望むたびというのは、授乳の要求だけを聞いてあげるというのではないのです。子どもの要求にしたがってあやしてあげるとか、だっこをしてあげるとか、遊び相手をしてあげるとか、そういうことも全部ふくめて、子どもの希望は可能なかぎり、すべてかなえてあげるという育児をするわけです。

最初のグループで深夜の授乳はけっしてしないと決めますと、一部ですが、早い赤ちゃんは三日も泣けば、翌日まで泣かないで待てるようになるそうです。授乳したりしなかったりすれば別ですが、深夜にはけっしておっぱいをやらない、あやさない、だっこをしないというようにしますと、たいていの赤ちゃんでも一週間前後で、翌日の朝まで泣かないで、おっぱいを待てる子になるそうです。二週間をこえてもなお、泣き続ける子どもは例外的にしかいないことも、実験をやってみた結果、研究者は報告しています。

三日にしろ、一週間にしろ、二週間にしろ、要求したり泣き続けたあげく、翌日の朝まで泣かない子になったという場合に、物分《ものわ》かりのよい、忍耐《にんたい》づよい子どもになったのかどうかということです。そういうことについての議論もおこなわれました。研究の継続中《けいぞくちゅう》に、シンポジウムがおこなわれたり、学会での討論がおこなわれたりしています。

「そら、ごらんなさい。もう三日で子どもによっては、翌日の朝までおっぱいを待てる忍耐づよい、現実認識《にんしき》がしっかりした、かしこい赤ちゃんになるではないか」といった考え方をした研究者もいました。規則正しい授乳をふくめた、一定の方針にもとづいて育児をすることがたいせつだと主張した人たちには、たとえばピューリタンといわれるような、禁欲的な宗教をもつ臨床家《りんしょうか》に多かったともいわれています。

一方では、本当にそうかどうかはわからない、もっと子ども一人ひとりの個性や要求にしたがって、育てるのがいいと主張し続けた学者もいます。そしてその後、子どもたちをずっと追跡《ついせき》し、観察が続けられました。

そうしましたら、結論的にわかったことは、三日ぐらい泣いて翌日まで待てるようになった子どもは、一部の専門家が予測したような、いち早く忍耐《にんたい》づよい子になったのではなくて、むしろ困難にたいして早くギブアップする子だということがわかったのです。忍耐《にんたい》づよくないのです、反対なのです。いつまでも泣き続ける赤ちゃんのほうが、本当は忍耐づよい、簡単にはギブアップをしない子どもだったのです。

おなじ養育環境《かんきょう》で、深夜にもおっぱいがほしいときには、いつまでも泣き続ける、

すなわち、努力をし続ける子とそうでない子がいるというのは、その子その子がもって生まれてきた、素質や個性のちがいによるところが大きいのかもしれません。

何年にもおよぶ追跡《ついせき》観察の結果では、赤ちゃんのときに、深夜にはおっぱいはもらえないということがわかって、すぐ泣かない子になった赤ちゃんは、早く現実の意味を理解して、かしこく忍耐《にんたい》づよい子どもになったなんて想像したら、とんだまちがいでして、ちょっとした困難をすぐ回避《かいひ》しようとする、困難を克服《こくふく》するための努力を、すぐ放棄《ほうき》する子どもに成長していったのです。そして、いつまでも、二週間以上も泣き続けた赤ちゃんのほうが、努力をし続ける子どもに成長していったのです。だめなものはだめだとすぐあきらめる子と、なにごともすぐにはあきらめない子、というふうに表現してもいいかもしれません。

ところが、それ以上にたいせつなことが観察され、知られることになりました。三日にしろ、二週間をこえてにしろ、結局はだめなものはだめだということで、泣きやむしかなかったということは、子どもの心に周囲の人や世界にたいする漠然《ばくぜん》とした、しかし、根深《ねぶか》い不信感と自分にたいする無力感のような感情を、もたらしてしまうということです。

それにたいして、深夜であろうとそうでなかろうと、泣くことで自分の要求を表現すれば、その要求が周囲の人によって、満たされるということを体験し続けた赤ちゃんは、これから報告しますように、自分をとりまく周囲の人や世界にたいする信頼《しんらい》と、自分にたいする基本的な自信の感情が育《はぐく》まれてくるのです。

乳児は自分ではなにもできない

よく考えてみますと、乳児は自分の要求をなにひとつ、自分でかなえることはできないのです。おむつがぬれて気持ちが悪くても、おむつを取《と》り替《か》えることはできませんし、空腹であってもおっぱいを飲むことはできない、あつくるしくても部屋の温度を調整することもできなければ、洋服ひとつぬぐこともできない、自分ではなにもできないのです。退屈《たいくつ》でも、その退屈《たいくつ》さを自分でまぎらすことはできない、さびしくても、そのさびしさを自分でいやすことができない、みんな人の手を借りなければならないのです。

私たち養育者は、そのことを十分に知っていなければならないと思うのです。ですから、乳児が自分でできる努力というのは、泣くことだけだということがわかります。泣くことで親をはじめ、まわりの人に自分の希望を伝えるわけです。その伝えた希望が望んだとおりに、かなえられればかなえられるほど相手を信じるし、その相手の人をとおして多くの人を信じるし、それよりなにより自分自身を信じるし、自分が住んでいる環境《かんきょう》、地球、世界を信じることができるのです。人を信じることと自分や世界を信じることとは、このようにおなじことなのです。

ですから、子どもには、自分で希望をもてば、そして努力をすれば、それらのことは多く実現するものなのですよ、ということを教えてあげることがだいじなのです。なにごともまず、望んで、そして努力をすれば、いろんなものが得られるのですよと

いうことを教えることなのです。このように、育児の最初の時期、乳児期のたいせつさを、エリクソンは教えてくれているように思います。

　くり返して申《もう》しますが、子どもが望めばというのは、望んで努力をすればということなのです。赤ちゃんは泣くことが努力なのですから、三日ぐらいであきらめてしまう子どものほうが、ずっと心配なのです。早く忍耐《にんたい》が身についたのではないのです。泣き続ける子どものほうが努力家なのです。努力家というのはちょっと変ですが、でも努力をする素質があるということなのです。よく泣いて手をかけさせる赤ちゃんのことを、育てにくい子だなんて思ってはいけないのです。このことはとてもだいじなところです。

　ですから、赤ちゃんがお母さんにだかれて、おっぱいを飲んでいるときなどは、やすらいで十分幸福でいられることが、本当にたいせつなことなのです。毎日できるだけ多くの時間を、赤ちゃんの求めにおうじて、そうなるように、できるだけの配慮《はいりょ》をしてあげることがたいせつなのです。育児をする人のペースに合わせようとしたり、自分が安心を得るために、むりやり飲ませようとしたりすれば、赤ちゃんにとっては授乳されることが苦痛になります。そして、そのような育児は、エリクソンのいう基本的信頼《しんらい》感を育てるためにはマイナスのことになります。

　離乳食《りにゅうしょく》を強制するのも、おなじことです。これだけ食べればいいという、親のかってな既成概念《きせいがいねん》をもって、むりにおしつけようとすると、子どもにとって食事は楽しい時間ではなく、訓練の時間になってしまいます。訓練の時間なんて不愉快ですね。わ

ずかの時間ですませたい気持ちになるでしょう。楽しくやすらいだ気持ちで、食事をすることがたいせつなのですね。

子どもにとって自分が本当に愛され、たいせつにされていることが、実感できるように育ててあげることが、まずもって非常に重要なことです。

お母さんを信頼《しんらい》できる子どもは人を信頼《しんらい》する

このように、ほとんどすべてのことにかんして、乳児期は子どもの要求を可能なかぎり、要求どおりに聞きいれてあげることが、子どもが豊かに人を信頼《しんらい》し、そして自分を信じていける子になるための前提なのです。ですから、すこし別の観点からみますと、人を信頼《しんらい》する力と自分を信頼《しんらい》する力というのは、おなじものだということがわかると思います。ほかの人は信頼《しんらい》できないけれども、自分には自信のある子なんていうのは、世《よ》の中《なか》にいないということだと思います。

人見知《ひとみし》りの時期をすぎますと、お母さんに安心している子どもほど、手をさしのべたまわりの人たちのところに、やってきやすいということがあります。八か月不安という乳児期の人見知《ひとみし》りの強い時期は別ですが、それがすぎたあとは、母親にたいする安心感安心感、あるいは父親、祖父母、そのほかの保育者などに準《じゅん》じた人にたいする安心感を、基本的な尺度《しゃくど》にしてまわりの人をみるのです。そして、その尺度《しゃくど》によって人にた

いする信頼感《しんらいかん》や、自分が育てられ生きている世界にたいする安心感をもつのです。その安心感や信頼感《しんらいかん》の大きい子どもが、それだけ自分にたいする信頼感《しんらいかん》ももっているのです。

ですから、親が子どもの泣き声や要求に、いらだちながら育児をしたり、極端《きょくたん》な場合には、虐待《ぎゃくたい》にちかい乱暴なあつかいをしながら育てている母親の子どもは、人にたいするおそれや不信感が大きいので、他人のさしだす手のなかには、けっしてこようとはしないものです。

親は手のかからない子、かけさせない子がいい子と思ってしまいますが、それは本当はまちがいなのです。それはただそのとき、育てやすい子であったというだけで、そのほかのことはなにも意味していないのです。

いくら泣いても、親が気がつかなかったり、面倒《めんどう》がったりすると、子どもは泣いてうったえなくなります。忍耐《にんたい》づよい、がまんづよい子になるかというと、そうではありません。泣いたって、さけんだってだめなんだという、お母さんにたいするある種の不信感と、自分自身にたいする無力感をもって、おとなしい子になっているだけなのです。ちっとも順調な発達ではないのです。

親に手をかけさせる子どものほうが、いい子だと思うのです。そうした子は、親や保育者が愛情をかけてやる機会が多いということですから、長い目でみれば、本当は育てやすい子なのです。小さいときに親を楽《らく》させてくれる子が、いい子だと思うのは思いちがいなのです。

親はライフサイクルのどこかの時期で、いちどは思いきり子どもに、心や手をかけなくてはならないのです。子どものだすサインを正確に読み取ってやれば、子どもは順調にのびていきます。そして、小さいときに手をかければかけるほど、早くから順調に育っていくものです。

子どもの
望んだことを
満たしてあげる

乳児期の子どもは、自分ではなにもできない、ただ泣くことによって親に、うったえることしかできないということをお話してきました。そして子どものうったえには、全部こたえてあげる必要があると思います。なによりもそのことが、人にたいする信《しん》頼感《らいかん》にもなるし、自分自身にたいする自信にもつながることになるのです。

子どもの立場からみますと、親にやってほしいことはたくさんあります。赤ちゃんのときなら夜中におっぱいがほしい、だっこやおんぶをしてもらいたい、あやしてほしい。すこし大きくなれば、絵本を読んでもらいたい、夕食にはハンバーグをつくってほしい、Aちゃんの家へ遊びに連れていってほしい。これらのことをひとつ残らず、すべてかなえてやるのは、容易《ようい》なことではありませんし、また、じっさいには不可能なことかもしれません。

親はそのつど、自分の価値観に照らし合わせて、どの要求を満たしてあげるかを、取捨選択《しゅしゃせんたく》をしているわけです。その際《さい》、とくに重要なことは、親自身にしかできないこと、つまり、他人ではかわってやれないことを、できるだけたくさん聞いてあげることです。乳児期であれば、おっぱいがほしいときにすぐ飲ませてくれた。幼稚園の昼食のとき、弁当のふたをあけた瞬間《しゅんかん》に、自分が愛されていることを感じとれるような、心のこもったお弁当をつくってもらった。このような心の満ち足りた依存《いぞん》経験を、十分に親から与《あた》えられた子どもは、それだけ親のいうことをよく聞きますし、また、必要なときの親ばなれや自立もスムーズにいくようです。

そのことは、長い年月の臨床《りんしょう》の場で、小学生、中学生から、高校生やその先の青年

たち、そしてその家族の人たちからも、私は教えられて続けてきました。一〇年も二〇年も、定期的に継続的《けいぞくてき》に保育園や幼稚園で幼い子どもに出会ってきて、さらに保育者や両親の相談にものってきた結果、本当にそう思うことなのです。

乳幼児がはじめて出会うとまどい

子どもが望んだことに、望んだとおりにこたえてあげるのは、生後一歳半くらいまでがいちばん重要だといわれますが、できれば二歳くらいまで、そういう気持ちで育児をするのがたいせつだと思います。その時期がすぎれば、もうそういう育児でなくてもいいというわけではありませんが、とくにその時期までがとても重要なのです。そういう育児をすることによって、その後のいろいろなしつけが、むりなく、しやすくなることも事実です。人を信じ、自分を信じる力が豊かに育っている子どもは、たいへんしつけや教育がしやすいと思います。

そのころまでの子どもは、はいはいをしているか、よちよち歩きでいることが多いわけですが、たえず保護者ないし保護者がわりの人のそばにいるわけです。子どもがそばにいるというよりは、こちらが子どものそばについているわけです。目がはなせないのです。生後六か月から一歳半の子どもから、目をはなして、そこらにおいておくなんていう人はいないわけです。目をはなさざるをえないときは、私たちの時代な

らおんぶをしながら、現代はサークルベッドかなんかにいれて、危険のない状態にして目をはなしているのです。けれども、そのころの子どもは、自由に探索《たんさく》、冒険《ぼうけん》をしたいわけです、だから、一生懸命《けんめい》はいはいをしていってしまう、よちよち歩きであっちへいこう、こっちにいこうとします。親や保育者は「あぶない、あぶない」と、しじゅう、あとを追いかけながら見守っているのです。

その時期の赤ちゃんなり幼児が、親ないし保育者からはなれて、「おやっ」と、まだみたことのないようなもの、あるいは、どうしたらいいのかわからないような状《じょう》況《きょう》にでくわしたとき、子どもの動きは止まってしまいます。たとえば、はいはいしている赤ちゃんの前に、父親が不用意においた灰皿《はいざら》があった、あるいは、畳《たたみ》のうえを昆虫がはっていた、あるいは、縁側《えんがわ》までいったら、隣《となり》の家の猫がやってきたというようなことがあったときには、幼い子どもはかならず、一瞬《いっしゅん》、「ぎょっ」として止まってしまう。そして多くの場合、そのみたものによって、子どもは好奇心を感じながらも、どうしたらいいのかなと、とまどいとか、不安とか、おそれなどを感じるのです。

そういうときの子どもをみていてごらんなさい。たいていの事《こと》や物に好奇心はあっても、それらにどのように対応したらいいのか、自分では判断できないのですから、つぎの瞬間《しゅんかん》にかならずふり返ります。そうすると、ふつうならば、その子どもを見守っているお母さんの視線が待っていてくれるのです。そして「ああ、ばっちいばっちい」とか「こわい、こわい」とか「こっちへにげておいで」とかいって、そのものにどう対応したらいいかを、かならず教えてくれるのです。おなじように、よちよち

歩きの子どもが、親をうしろにおきながら、ちょろちょろ歩いていった。すると雨あがりで大きな水たまりがあった。どうしたらいいのかな、入っていっていいのかな、まわり道しなくてはいけないのかなと、一瞬《いっしゅん》、立ち止まります。

むこうから放《はな》し飼《が》いの犬がやってきた、道端《みちばた》にみたこともないきれいな花が咲いていた…。みたこともないようなことに出会うと、どんなときも子どもは、「おやっ」と思ったり、「ぎょっ」としたりするわけです。それらのすべてが、ときには不安、おそれ、とまどいであり、好奇心や喜びの対象です。そんな場面にでくわすと、子どもはかならずふり返ります。自分を見守ってくれている人の視線を期待しているのです。

幼い子どもから、いつも目や心をはなさないでいるのは、多くの場合は親であり祖父母であり、保育園の保母さんや幼稚園の先生です。みんなが見守っていてあげて、「ほうら、こわいこわい、ばっちいばっちい」、「きれいなお花だね、そうっとさわってごらん。いいにおいがする、ほうら」、「お隣《となり》のニャンニャンだ、どうれ、ママがさわってみよう。そうっとなでてやってごらん、ほら、こわくないよ。お隣《となり》のミーコをさわってごらん」、こういうふうに、そのときどきの対処《たいしょ》の仕方《しかた》を教えてあげるわけです。そういう場合、子どもというのは、いつも自分を見守っていてくれる視線が、そこにあるはずだと信じて、期待してふり返っているのです。そういうときに、自分をみていてくれる人が、いつもかならずいる場合と、たいていの場合、だれもいなかったという経験を、度重《たびかさ》ねて育った子どもとでは、人間的な感情の重要な部分の育

ち方が、大きくちがってしまうということを詳細《しょうさい》に観察した人がいます。

ソーシャル・レファレンシング

幼い子どもが、はじめて出会ったことにたいして、「どうすればいいのかな」とふり返ったとき、親や祖父母や保母さんや幼稚園の先生などの視線が、かならず見守ってくれていて、そして、どうすればいいのか教えてくれる。そういう過程をとおして、幼い子どものなかに育っていく人間的な感情や感性を、ソーシャル・レファレンシングとよんでいます。

ソーシャル・レファレンシングというのは、乳幼児精神医学の世界的な第一人者、コロラド大学のロバート・エムディという人の言葉です。エムディは、いろんな環境《かんきょう》で育った乳幼児を、思春期、青年期まで追跡《ついせき》観察して、どういう環境《かんきょう》でどのような育ち方をすると、どのような人格をもった人間に育つのかということを、たんねんに調べたのです。その研究の成果のなかから、彼はソーシャル・レファレンシングという、人間の社会的存在としての基盤《きばん》をなす、高度な感情や感性に注目しました。

ソーシャル・レファレンシングという言葉は、ちょっと日本語にしにくい言葉です。たとえば、スキンシップという言葉がありますが、日本語でどういいますかといわれても、ちょっと用語をみつけにくいでしょう。そういうふうに、日本語にしにくい英

語のひとつです。

本来、人間にはソーシャル・レファレンシングという感情や感性は、自然に育つものなのです。「ソーシャル」というのは、「社会的な」というソーシャルですね。「レファレンス」のもとの言葉は、なにかを「参考にする」、あるいは「引用する」という意味です。ですから、英語の論文を読みますと、最後にレファレンスとあって、引用文献《ぶんけん》とか参考文献《ぶんけん》というのがでています。ここでは社会的になにかを参考にするとか、引用しながら生活していくという意味で、エムディは、人間には社会的なそういう感性があることを指摘《してき》し、それが育っていく筋道《すじみち》をみつめたのです。

はいはいをしていった、よちよち歩きをしていった子どもが、「おやっ、どうしようかな」と、とまどった、あるいはおそれを感じた。どうしようかとふり返ったら、だれも自分をみていてくれなかった。あるいはそばにいても、よそみをして別のことをしていた。そういう経験を度重《たびかさ》ねてきた子どもには、大きくなったときにソーシャル・レファレンシングの感性が、いろんな意味で育っていないということがわかったのです。子どもが「どうしようかな」と迷《まよ》ったとき、まわりの人の教えや行動を参考にしようとしても、だれも見守っていてくれなかったわけです。ですから、「社会的な」なにかを「参考」にしようとしてもできないので、そういう感情や感性は身につかないのです。

ソーシャル・レファレンシングは人間が社会的なルールを守りながら生きていくために、その基盤《きばん》をなす重要な感情であるともいえます。人が人と共感し合って、その

ことを誇《ほこ》りと感じ合って生きるために必要な感情なのです。

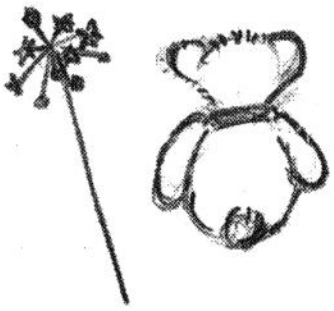

ソーシャル・レファレンシングの育ち方

もうすこし子どもが大きくなったときの、おなじような感情の育ち方について考えてみます。一歳半から二歳にだんだんちかづいてきますと、こんどは、子どもがはじめて自分でできることが、あれこれとはじまります。

エムディの研究成果を、すこし具体的なことで考えてみますと、たとえば、はじめてボタンがはめられたとき、いままであれこれやっても、自分ではめられなかった洋服のボタンが、はじめてはめられたというようなことがあります。あるいはよごれた靴下《くつした》を、自分ではどうしてもぬげなかったので、困ったときはいつも、保母さんやお母さんのところにいってぬがせてもらっていた。ところが自分で、あれこれいじっているうちに、ふとしたはずみに、思いがけずに、ぽこっとうまくぬげた。

それまでできなかったことが、はじめてできたというようなときも、子どもはかならずふり返ります。みていてごらんなさい。いつも手伝ってもらっていた母親や保育者のほうをきっとふり返ります。

しかしこんどは、とまどいとか、不安とか、おそれなどではないのです。誇《ほこ》りの気持ちをもって、「どんなもんだ、わたしできちゃった。ぼくやったぞ、えらいだろう。

どうだ、みていてくれたでしょう」という気持ちで、周囲の大人のほうをかならずふり返るのです。そのときに子どものしぐさをよくみていて、「あっ、できた。よかったね、えらいね、お母さんもうれしいよ。何ちゃんとうとうできたね、えらいね、おりこうだね」というふうにいって、そのことをいっしょに喜んであげる、確かなものにしてあげる。子どもの喜びを自分の喜びに、分かち合ってあげるという気持ち、これが必要です。ソーシャル・レファレンシングは、このような関係のなかから育つものです。

　ある保育園の保母さんに聞いたお話です。お母さんが子どもに、大きなボタンのついたお弁当袋をつくってあげたのだそうです。保母さんは給食が終わって、かたづけのたびに、「何ちゃん、ボタンかけてみようか」といっていました。けれども、その子はいっこうに興味がなく、いつも保母さんがかけていました。

　ところがある日、本当に突然という感じで、その子が自分でボタンをかけはじめたのです。しかし、最初はボタンに穴をくぐらせるという理屈《りくつ》がわからないものですから、ボタンを穴におしつけたりするだけでした。それに、大きなボタンと大きな穴といっても、まだまだ指の不器用なその子にとっては、たいへんなことなのです。

　くり返し穴から頭をのぞかせたボタンを、左の指で一生懸命《けんめい》ひっぱっていました。一五分ぐらいして、やっと穴からボタンがでてきました。みていた保母さんは感動して、「やったー、ボタンがはめられた！　何ちゃん、すごい！」と思わず声をはりあげたそうです。保母さんの喜びの声を聞いて、その子はもっと大喜びです。その子は

大得意で、ほかのクラスの先生にもほめてもらいにいき、調理室にもほめてもらいにいき、それでもたりなくて、園長先生にまでみせにいったのだそうです。その子はほめてもらえるのがうれしくて、それから毎日、お弁当袋のボタンに熱中して、すぐに上手《じょうず》にはめられるようになったそうです。こういうことなんですね。喜びを分かち合ってもらいたいときに、かならずだれかそばにいてくれる。ソーシャル・レファレンシングを育てるというのは、こういうことの積み重ねなのです。

喜びを分かち合ってあげる人だけでなく、さきほどの例では、子どもの不安やとまどいを分かち合ってあげる人が、いつもそばにいてくれることのたいせつさをお話しました。そういう人の存在にたえず恵《めぐ》まれながら育った子どもと、「どんなもんだ、ぼくえらいでしょう」とふり返ったけれども、自分のことをみていてくれる人は、だれもいなかったという経験を、度重《たびかさ》ねて育ってしまった子どもとでは、ソーシャル・レファレンシングの感情や感性の育《はぐく》まれ方は決定的にちがうのです。エムディはそういうことをいっているのだと思います。

いつでしたか、上智大学の哲学者で神父でもいらっしゃる、アルフォンス・デーケンさんが、ご自分の祖国にはすばらしい格言《かくげん》があるとテレビで話していました。「喜びは人と分かち合うと二倍になる。悲しみは人と分かち合うと半分になる」というものでした。「分かち合う」ではなくて、「聞いてもらう」ということだったかもしれません。でも、そういうことが本当に生きたソーシャル・レファレンシングですね。

幼い子どもを育てるということは、このように子どもの気持ちが生き生きと、手に

とるようにわかるように、いま子どものやっていることから、心も目もはなさないで、みて感じて言葉をかけてやるということなのですね。

ソーシャル・レファレンシングは誇《ほこ》りの感情

ソーシャル・レファレンシングがよく育てられている人と、育てられていない人のちがいというものを、エムディの著書のなかから、私流に解釈《かいしゃく》してご紹介《しょうかい》します。

たとえば、私が住んでいる東京の町田市、もよりの駅がJR横浜線の成瀬《なるせ》という駅です。それから、もうひとつは田園都市線の南町田と、すずかけ台という駅も私の自宅からちかいのです。その駅の周辺には、「ここに自転車を放置しないでください」と書いた立て看板が、何本も立ててあります。歩行者の迷惑《めいわく》になりますし、危険でもあるからです。ところがおおぜいの人たちが、そのあたりに自転車を放置している。ひどい人は、盲人用の点字ブロックが敷《し》いてある上にまで、平気で自転車を止めているのです。そこには非常にたくさんの自転車が放置してあります。

そこへ自転車を放置していく人は、通学なのか通勤なのかは別として、そこに書いてある立て看板の字が読めないわけではないのです。読めても放置していくのです。自転車で自宅からそこへくれば、通勤、通学に便利な人はおおぜいいるでしょう。けれども、そういう立て看板が立ったとたんに、自転車を放置しなくなる人と、放置し

続ける人とがいるわけです。

毎朝すこし早めにおきて、バスでやってくるとか、あるいは健康をかねて歩こうとか、そういうふうに頭を切《き》り替《か》える人と、切《き》り替《か》えない人がいます。これは卑《ひ》近《きん》な例です。それでもなお自転車をおいていく人は、ソーシャル・レファレンシングの感性のにぶい人、とぼしい人。ほかの方法に切《き》り替《か》えられる人は、ソーシャル・レファレンシングの感情や感性が豊かにある人、こういう意味なのです。

こういうこともありました。先日、私は東名高速道路を御殿場《ごてんば》のほうから東京に向かって、夕方六時すぎに帰ってまいりました。そうしますと、横浜・町田インターチェンジの出口は、休日の夕方でたいへん渋滞《じゅうたい》していました。経験された方も多いかもしれません。ところがそのようなとき、いちばん左側の路肩《ろかた》の車線を走る人がいるのです。あそこは通行してはいけないところで、緊急《きんきゅう》自動車などがとおるために開けておく場所でしょう。自動車の運転免許《めんきょ》をもっている人なら、だれでもそんなことは知っているはずです。

ところが、あそこを平気で走る人と、けっして走らない人とがいるわけです。走ればそれは早く目的地に着きますよ、けれども、きちんと規則を守って、渋滞《じゅうたい》のなかを待つことができる人と、待てないで違反《いはん》車線を走ってしまう人がいます。なかにはびくびくしながら、あるいは、やましい気持ちになりながら走る人もいるかもしれません。路肩《ろかた》を走る人は、ソーシャル・レファレンシングの感性がそれだけない、あるいは、とぼしい、しっかり育てられてこなかったということです。ところが、先頭を

きっては走らないけれど、だれかが走ると走る人もいるのです。これはその程度にしかソーシャル・レファレンシングが育ってないと、こういう意味でもあります。

ソーシャル・レファレンシングというのは、誇《ほこ》りの感情、人間としてのプライドをみんなで分かち合うことなのです。すこし早起きをして、こんだバスにのってちゃんと駅までやってくる人たちは、「ああ、ここにこういう看板がでた、ここに自転車をおくと、不便してあるいは迷惑《めいわく》して困る人がおおぜいいるのだ、ああ、そうか」と気づいてそれをさけようとする。そういう人同士が、自分の誇《ほこ》りの気持ちを分かち合おうとするから、ソーシャル・レファレンシングの意味があるのですね。そういう誇《ほこ》りの気持ちや感情というのは、ない人にはどうしたってない、どんなに説教したって、そうするものだといったって、急にそういう気持ちをもてるようになるものではないですね。それは幼いときから、じっくり育てられてくるものです。エムディはそういうことをいっているのだと思います。

ソーシャル・レファレンシングが育つ時期

そのソーシャル・レファレンシングというのは、生後六か月ぐらいから一歳半ないし二歳、乳児期の終わりから幼児期の前半に、もっとも感受性よく育つものだということを、エムディはじつに根気《こんき》のいい観察によって、みごとな研究をしました。

人間は、乳児期に人を信頼《しんらい》する感情がもっともよく育つということは、前にもお話ししました。人間にはいろんなものが、よく育つ時期と育たない時期があるというのは、だれでもよくご存じだと思います。なんでも早ければ早いほど、いいというわけではありません。ところがこの時期をはずすと、あとではなかなか育ちにくいというものもたくさんあるわけです。

人間の子どもは、まわりの人たちが立って歩いているから立つのです。みんながはいはいしていたら、おそらく赤ちゃんは大きくなっても、そのままずっとはいはいしていると思います。狼《おおかみ》に育てられた少女の記録などをみますと、そういうことがよくわかります。言葉も学ぶべきときを失うと、あとからでは非常に育ちにくい。だから、言葉は学ぶべき時期があるということです。

外国語は小さいときに学ばなければ、外国人とおなじようには、しゃべったり聞いたりすることはできにくいということがあります。けれども、そのことは別に、人格には影響《えいきょう》ありません。自分の国の言葉が自由に話せれば、それで人間としては十分でありまして、もちろん、外国語ができれば、それにこしたことはないという程度のことであります。

それから、音楽に必要な音感《おんかん》もそうですね。音感《おんかん》も早い時期に育てられないと、大きくなってからでは育ちにくいものです。ですから、子どもを音楽家にしようとしたら、大きくなってからではむずかしいのです。しかし、だれでも小さいときからやれば、みんなが音楽家になれるかというと、そうではありません。やってもだめな人も

おおぜいいるわけです。ところがやらなければ、ほぼだめだということでもあります。だからいちどは、やってみるのがいいといっているわけではありませんが、音感《おんかん》というものはそういうことです。みなさんもよく承知《しょうち》していらっしゃることだと思います。

アメリカへいっていろんな人のお話を聞いてみますと、アメリカの人は耳のイヤーと、年のイヤーの発音を使い分け、そして聞き分けているのですね。私には発音を区別してすることはできませんし、聞き分けることもできません。大きくなってから英会話や米会話をならって、LやRの発音が正確にできないからといって、そんなことはなにも引け目《ひめ》にも、負い目《おめ》にもなるわけではありませんし、人格に影響《えいきょう》するわけでもありませんが、小さいときに身につけなければ、非常に身につきにくいものであることはおわかりいただけると思います。

ところが、さきほどからお話してまいりましたソーシャル・レファレンシングの感受性が、ないとか不十分であるということは、人間性の問題です。人間としての存在の意味に関係する問題です。平気でルール違反《いはん》をする人と、しない人がいるということは、これは非常に大きな社会的問題でもあります。

ルール違反《いはん》をする人がいると、その周囲の人が迷惑《めいわく》をするということもありますが、私は違反《いはん》をしてしまう人の不幸のほうを、より深刻《しんこく》に感じます。臨床者《りんしょうしゃ》としての経験からすれば、そういう感じ方をします。ルール違反《いはん》をする人、すなわち、ソーシャル・レファレンシングが十分に内面化していない人は、おそらく大小さまざまな違反《いはん》をするなど、自己中心的な言動をとり続けながら、生きていく結果になりがちです。

そういう人のその後の人生が、どういうものになってしまいがちなのか、ちょっと考えてみればわかることです。音楽の音感《おんかん》や外国語の素養《そよう》が不十分なこととはわけがちがいますから。

そのソーシャル・レファレンシングの重要なところが、生後六か月ぐらいから一歳半ないし二歳ぐらいの間に、もっとも育つということを、エムディはいろんな育ち方をしている子どもを観察するなかで、みごとに発見したのです。

こういうことをくり返し申《もう》しあげるのは、その時期の子どもを育てている人にとっての、その「仕事の価値の大きさ」、あるいは別の観点からいいますと、「責任の重さ」を、しっかり感じていただきたいからなのです。音感や外国語などとはちがって、ソーシャル・レファレンシングの感性は、それがなくてもいいというわけにはまいりません。人間としての存在や人格の意味を、問われることになるわけですから。

過保護についての誤解《ごかい》

幼い子どもが望むことは、なにをどれだけやってあげても大丈夫《だいじょうぶ》だということも、よく知っていただきたいと思います。そして、乳児のときに不足があったら、幼児期の前半に、あるいは後半であろうと、それなりのおぎないを早くしてあげれば、児童期、思春期に、不足による問題や障害を、それだけ残さないですむと思います。その

おぎないも早ければ早いほどいいということも、よく知っていただきたいと思います。

ところが、子どもの望んだとおりに、あれこれ満足させてあげるということは、過保護になって、しつけをしそこなってしまうという人が、まだたくさんいます。過保護は子どもに依頼心《いらいしん》を大きくして、自立のさまたげになると思っている人が、意外《いがい》に多いと思います。みなさんのなかにも、いらっしゃるかもしれません。しかし、過保護で子どもを、本当に育てそこなったという事例を、私はみたことがありません。

エリクソンにしろ、そのほかのすぐれた学者にしろ、いろんな人からあれこれ多くのことを学んで、この考えは確かだ、あの理論はどうも、あるいは現代社会では、これはどうも修正したほうがいいと思うものもありますが、たったひとつ、私はこれだけはまちがいないと思うのは、子どもを過保護でだめにした例というのは、ぜったいないのだということです。

私は、子どもの要求を拒否《きょひ》したことがないと思っているのですが、子どもに聞くと「そうでもないよ」といいます。けれども、親としては、そういう気持ちで育児をしているのです。それで子どもが依頼心《いらいしん》が強くなって、自立しなくなったかというと、そうでもないのです。

そこで、過保護とはどういうことかといいますと、理屈《りくつ》っぽくいえば、子どもが望んだことを望んだとおりやってあげて、やりすぎるということです。子どもが望んでいることを望んだとおりにですよ。そういうことがあれば、それは過保護でしょう。けれども、子どもが望んでいることを、やりすぎるほどやってやれるということは、

それはたいへんなことで、めったにできることではないと思います。ですから本当は、過保護というほど、子どもの要求にこたえることができる育児というのは、現実にはないかもしれない。たいていは、子どもの希望や要求を拒否《きょひ》したり、無視していることが多いと思います。

金銭でものをねだるという子がよくいます。私もよくそういうお話を聞きますし、相談もうけます。しかしよくお話を聞いてみますと、たいていの場合、むしろふだん、親が子どもに手をかけてあげることがたりないのですね。だからそのかわりに、お金で手をかけろといっているのです。そう思えることはしばしばあります。

子どもの望んだことを望んだとおりに、やりすぎるほどできるというのはたいへんなことです。子どもが望んだことを、やりすぎるくらいに手をかけてやっていれば、金銭でものをねだるということはあまりなくなります。本当に不思議なくらいなくなりますし、ものを買ってあげるといっても、それほど喜ばないといいましょうか、拍《ひょう》子《し》ぬけするくらいになるものです。

おんぶとか、だっこというから、そのたびにしてあげたからといって、子どもが歩かない子になったなんてことは、みたことがありませんね。おんぶといったときには、おんぶしてもらえる、だっこといったときに、だっこしてもらえた子どものほうが、本当は安心してしっかり歩くようになりますし、精神的に自立していくのです。

親のひざの上にのって、テレビをみたがる子どもがいたとします。いつでも自由にのせておいてあげると、いつまでものっているのかというと、そうではないでしょう。

すぐにあきてしまうのです。安心してあきてしまって、その後、そんなことはめったに要求しない子になるのです。子どもというのは、要求が満たされると、それ以上要求をエスカレートさせてこないのです。ですから、ひざにのってこようとする子どもに、あつくるしいとか、重いとか、そんなことするのは赤ちゃんだからおかしいとかいって拒絶《きょぜつ》していると、いつまでも要求し続けるのです。

過剰干渉《かじょうかんしょう》について

私は幼い子どもの育児というのは、本当に過保護なくらいで、ちょうどいいと思っています。そう信じています。ところが過剰干渉《かじょうかんしょう》だと子どもをだめにするのです。過《か》剰干渉《じょうかんしょう》というのはどういうことかというと、子どもが望んでもいないことを、やらせすぎるということです。これは子どもをだめにすると思います、自立心をなくします、自主性をなくします。

この間テレビをみていましたら、リカちゃん人形の展示会というのを放映していました。幼い子どもを連れたお母さんが、たくさんきているのですね。何人ものお母さんが口をそろえて、おなじような趣旨《しゅし》のことをいっているのにはびっくりしたのですが、「リカちゃん人形は、この子の着《き》せ替《か》え人形です。そしてこの子は、私の着《き》せ替《か》え人形です」といっているのです。

こういう育児は、しばしば過剰干渉《かじょうかんしょう》になりがちです。どんなにたくさん洋服を買ってあげても、それは子どもの希望にこたえているのではないことが多いのです。親が自分の感情を満足させるために、やっていることが多いのです。子どもが望まないことを、やってはいけないというのではないのです。そうではなくて、子どもが望んだことは、どんなにやってやりすぎても大丈夫《だいじょうぶ》だといっているのです。子どもがしてほしいといったことをやってあげすぎたから、依頼心《いらいしん》が大きくなって、自立心が育たなくなるということは、本当はないと思います。

ただこういうことはよくあります。それまで、あまり子どもの希望や要求を聞いてあげなかったのに、ある時期から、急に子どもの要求を満たしてあげようとすると、一時、示しがつかないほど、あれこれ要求してきて途方《とほう》にくれることがあります。このような状況《じょうきょう》があると、私たちは過保護が子どもをだめにする、と錯覚《さっかく》や誤解《ごかい》をしてしまうのです。

親の前でやすらげない子ども

ベビーシッターの人たちから、よく聞くお話ですが、最近、多くの家庭でこんなことがあるのです。ベビーシッターがよばれて家庭にいくと、一見《いっけん》、子どもはおとなしそうで、最初はいっしょに留守番をしやすい子どもに思えるのです。ところが、親が

外出すると、とたんに地《じ》がでて、あつかいにくい子になるそうです。勝手きままで、傍若無人《ぼうじゃくぶじん》にふるまいはじめるのです。家のなかをよごし放題、ちらかし放題にする。

そこにお母さんが帰ってきて、ちらかったあちこちの部屋をみて、なんということだと、ベビーシッターに不満をもらすわけです。自分が家にいるときは、子どもはこんなひどい遊び方はしない、このように、家中ちらかし放題のことはしないのだというわけです。次回には、もうすこし育児の上手《じょうず》なベビーシッターを、送ってよこしなさいと苦情をいわれて、ベビーシッター協会や派遣《はけん》会社では困っているそうです。

かつてのベビーシッティングは、その逆だったのです。親がいるときには、子どもはあばれていたり、わんぱくだったりしている。ベビーシッターは、こんな子どもと留守番をするのはたいへんかもしれないと、不安を感じたものです。けれども親が外出してしまいますと、意外《いがい》にいい子になる、ようするに他人行儀《たにんぎょうぎ》になるわけです。お母さんがでかけてしまうと、すこしめそめそして、それからやがて気を取り直して、すこし遠慮《えんりょ》がちにベビーシッターと遊んでいたというのです。これがふつうなのです、本来の自然な子どもなのです。親がいるときは安心して、遠慮《えんりょ》なくふるまっていたのです。

ところが今日《こんにち》では、しばしば、お母さんがいるときのほうが、他人行儀《たにんぎょうぎ》でいい子なのです。ベビーシッターだけになると、安心して地《じ》がでるというのです。これは本当に心配です。親といっしょにいて、安心してくつろぐことができない子どもは、本当に心配ですね。

どういうことかといいますと、強圧的《きょうあつてき》なやり方で、親のいうことを聞かせているのだと思います。そういう子どもが大きくなったときにどうなるか、たとえば、親子の間で腕力《わんりょく》が逆転したときどうなるかということは、目にみえるような気がします。

まあ、それはさておきまして、子どもというのは、そういうものなのです。過剰干渉《かじょうかんしょう》のなかで育てると、幼いときは、干渉《かんしょう》する人の前では、よい子にならざるをえないのです、きらわれたり、怒《おこ》られたり、たたかれたりしますからね。しかし、その分《ぶん》、どこかではめをはずさざるをえない。親の目がとどかないところで、はめをはずすのですが、これはこわいことです。

思春期、青年期になりますと、反社会的な行動のほとんどはそれなのです。そこまで一足飛《いっそくと》びなことを考えなくても、子どもというのは、自分の望みがまずかなえられなければ、本質的には周囲のいうことは聞けないのです。自分の望んだことを望んだとおりに、十分してもらえている子どもが、相手のいうことを心から聞きはじめるのです。ですから、最初から親の希望をよく聞いて、あれこれしてくれたら、いい子だという発想の育児はまちがいなのです。

親にいろいろとやってもらうから、本当にいい子になるのです。「何ちゃんはおりこうだから、こうしたら、ああしてあげる」というのはいけないのです。相手の望むことをたくさんしてあげてから、ひとつぐらいお母さんや保母さんのいうことを聞いてちょうだい、こんなにたくさんのことをしてあげたんだから、お母さんのいうことをひとつぐらいは、聞いてちょうだいというのが、幼い子どもの気持ちにたいして、

自然でうまい育児であると思います。

要求が満たされたとき、子どもは人を信じることができる

乳児が、あるいは幼児が人を信じるということは、お母さんやお父さんや保母さんにたいして、こうしてほしい、ああしてほしいといったときに、親や周囲の人がそのとおりに要求を満たしてあげれば、いろんな人を信じる力が、しっかり身についていくということですね。しかも、本当に相手を信じる力が育つのは、自分でそのことをしたいのに、自分ではその能力がなくてできないというときに、だれかにやってもらうということなのです。そうしてもらえればもらえるほど、その相手にたいする信頼《しんらい》感《かん》は大きくなります。

もっと大きくなってから、子どもが、自分でやればできるようなことを、してもらったからといって、かならずしもそんなに大きな信頼感《しんらいかん》にはなりません。こうしたいけれども、自分ではできない、外へいきたいけど僕は歩けない。おんぶやだっこしてもらわないと、外へいくことができないという子どもが、泣いてせがんで散歩につれていってもらったというだけで、相手にたいする豊かな信頼感《しんらいかん》が育つと思うのです。ですから、そういうことは、乳児期から早期幼児期が、もっとも感受性が豊かに育つということです。

自分で食べ物をさがし、自分で手でつかんで食べるということができない時期に、空腹をうったえたら、すぐお母さんがおっぱいを飲ませてくれた、これは豊かな信頼《しんらい》感《かん》を育てることになります。そういう意味では、「三《み》つ子《ご》の魂《たましい》」という言葉がありますように、おそらくこれは真実です。

幼いときであればあるほど、子どもの要求や希望が豊かにかなえられるということが、とてもだいじになってまいります。乳児期、あるいは幼児期のごく早期ぐらいまでは、子どもの要求というのはひとつも無視しないで、ことごとく全部そのとおりにしてあげればいい、というくらいの気持ちをもっている必要があると思います。これは育児をするうえでの正論だと思います。

幼児期は自立へのステップの時期

幼児期の後半の子どもはいたずらざかりで、たえず活動しています。あたかもエネルギーがありあまっているように、目が覚《さ》めていれば、じっとしているなんてことは、ほとんどないと思えるくらいです。いつになく静かにしていたら、その子はたいてい高熱があったりします。高い熱でもださないかぎりは、たえず活動しているのです。体を動かしていろんなものに働きかけをすることで、ものを考えているようなところがあります。

大人からみれば、このころの子どもは、どこにいてもたいていは、いたずらのようなことばかりしているのです。好奇心旺盛《おうせい》な、失敗をおそれない時期なのです。あるいは、失敗をすぐ忘れる時期だともいわれます。疲《つか》れを知らない時期だとか、あるいは、疲《つか》れがすぐいやされてしまう時期でもあるのです。

疲《つか》れを知らない幼児期の子ども

子どもというのは、基本的には、大人とぜんぜんちがうのです。疲《つか》れを知らないのですから、失敗をおそれないのですから、つぎからつぎへといたずらをしています。ですからこの時期の育児をなさる親や保母さんは、ふだんから摂生《せっせい》して、疲《つか》れにくくしておくことがだいじなのですね。疲《つか》れた疲《つか》れたという人は、この時期の子どもについていけないのです。ごく一般論的《いっぱんろんてき》にいいますと、疲《つか》れやすい人はなんの仕事にも

あまり向きませんが、やや疲《つか》れやすい人、体を動かすことが大儀《たいぎ》な人は、目をはなさないで乳児のそばにいるのがいいと思いますね。子どもがなにかいえば、すぐ相槌《あいづち》をうっていただく、口は動くでしょうからね。子どもがふり返ったときには、知らん顔なんかしないでいただきたい、そしてほかの考え事なんかも、あまりしないでいただきたい、いつも子どもに目配《めくば》りをしていただきたい。以前、目《め》の玉《たま》を動かすのも面倒《めんどう》になることがあるといったお母さんがいましたが…。

とにかく、たえずという気持ちで子どもを見守っていただきたい。親や周囲の人にいつも見守られていたという、実感をもつことができた子どもが、人間らしい人間として育っていくのですから。

「何ちゃん、きっとこっちを向くよ。ほら、こっちみた。何ちゃん、あんなことしてほしがっている」というように、子どもの気持ちを、何人いてもひとりずつ手にとるようにわかる人が、この時期のもっとも有能な保育者だと思います。「あの子、いまこんなことやっているけど、あの子の考えていそうなことはもうわかっている。ほら、こっちをみている。ああ、泣きべそかいた、助けを求めた」、そういうことを子どもが求める前に、いつもこっちが予感や予想できているというぐらいなのが、いい母親であり、いい保育者ですね。

そして、そのことが楽しくできることですね、たいせつなのは。もっとも、楽しくなければ、そうはできないでしょう。母親になる、保育者になるということは、そういう準備や訓練のようなものができているということです。そうでなければ、子ども

は不幸ですね。育児を楽しめない人に育てられるということは、子どもにとってこのうえなく不幸なことです。

親や保育者を選べなかったという、否定的な感情をもった子どもが、だれの目にも問題が明らかになるのは、子どもがもっと大きくなってからでしょう。ひょっとすると、思春期になってからかもしれません。

子どもの泣き声ひとつで、あれは何ちゃんがこういうことを要求している泣き声だ。あの泣き声はあまったれたときだ、あれはお腹《なか》がすいたときだ、あれはおむつがぬれて気持ち悪くなったときだ、いつもとちがう泣き声だ、変だと思ったら熱があった。こういうことは、いい保育者とかいい母親はわかるのです。こういうふうに、子どもの気持ちを豊かにイメージできて、十分にすぐ察してやることができる人が、乳児や幼児の早い時期ばかりでなく、幼い子どもを保育するのに適していると思うのです。

動きまわる子どもをみる楽しさ

幼児期の後半になりますと、子どもは急に活動的になります。子どものあとを追いかけていると、育児をする人のほうが疲《つか》れてしまうからといって、「あっちへいかないで、そばにいなさい」、「お母さんのそばでじっとしていなさい」、これではぐあいが悪いのです。

この時期の子どもはたえず動いています。好奇心のかたまりのようで、雨あがりの日に連れ立って歩きますと、水たまりがあっても、よけないで入ったりします。坂道や道端《みちばた》の築山《つきやま》のようなものや、だれかの家の階段があったりすると、わざわざ道草《みちくさ》をくうように、のぼったりくだったりします。道の片面が土手《どて》かなんかになっていると、子どもは土手《どて》をなんどものぼったりおりたりしながら、親といっしょにお使いや散歩についていくのです。

私たち大人は、土手《どて》の向こう側に「なにがあるのかな」と思う子どもの気持ちはわかるつもりでいても、「どうしてそんなむだな動きをするんだ、一回のぼってみれば、たくさんじゃないか」と思うわけです。大人は、たとえ土手の向こうが、「どうなっているのか」と思ったとしても、一回のぼってみて、「なんだ、こんなものか」と思えば、もう二度とのぼりたくないですね、それは疲《つか》れるだけのことですから。しかし子どもは疲れないのです、それればかりか、斜面《しゃめん》をのぼるそのことが楽しいのです。ふだんやりつけないことをするのが楽しいのです。

どのように注意しないと、すべって転《ころ》がってしまうかもしれない、こうしないとしっかりのぼれない、上《のぼ》りと下《くだ》りとでは、こんなにちがうのだということを、子どもたちはいろいろ確認しながら、しかも、自分の運動機能を確かめながらやっているのです。好奇心や向上心や能力などの調和をはかりながら、いそいでのぼれるか、転《ころ》がる危険があるから、ゆっくりしかのぼれないとか、すばやくおりられたとか、ちゃんと注意したのに尻もちをついてズボンをよごしてしまったとか。このようなことを一

回一回考えながら、実験的にやっているわけです。これが子どもの自然で健康な姿なのです。

よその家の前をとおれば、呼《よ》び鈴《りん》をおしてみたいのが子どもなのです。「本当に鳴るのかな、自分の家のとちがう音がするのかな」とか、「隣《となり》のおばさんおどろくかな」とか、この時期の子どもは、そういうことを自分で感じ、みんな自分で確かめたいわけです。

自分のやることを自分で決めて、楽しみながらのびのびとやってみる。危険なことは親や保育者に守られ注意されて、安心してやってみる。こういうことが子どもたちには必要なことなのです。大きくなったとき、学校などの社会集団で自分で考えながら行動すること、相手を思いやりながら行動できるということは、このころから、自分で感じ考えたことを、安心できる大人に見守られながら、十分にやってみるという経験なしには、できるようにはならないと思います。

保育園でのエピソードをご紹介《しょうかい》します。一歳三か月の男の子なのですが、歩きはじめてまもないこの子は、なんにでも興味をもってちかづいていくのですね。とくに、水道のところはおもしろいのでしょうか、前に手を洗っておもしろかったことを覚えているのでしょうか、蛇口《じゃぐち》の下に手をだして、水がでてくるまで待っているのです。そして、でてこないと大人のほうを向いて「あーあー」といってるのです。大人が水道の栓《せん》をひねってあげると、にこっとして、小さな手をニギニギさせて、でてくる水を一生懸命《けんめい》つかまえようとしているのです。いくらつかんでもつかんでも、つかまえ

どころのない水、そして水は排水口《はいすいこう》ににげていくばかりです。それでも水をにぎろうと懸命《けんめい》なのです。

都会の水事情や水道料金の心配もありますが、大人が栓《せん》を閉めようものなら「あーあー」と怒《おこ》って、水をだせと要求します。保母さんがその子の手をとって、栓《せん》にあてがっていっしょに開けると、とても不思議そうな顔で、でも、バシャバシャと水をはねかして、にこにこしています。

大人といっしょに栓《せん》の開け閉めを、なんどかくり返しているうちに、ついに栓《せん》と水との関係がわかってきたみたいで、自分でひねったりします。けれども指の力がたりないので、なかなかうまくいきません。でも、とても楽しそうに、いつまでもやっています。子どものやっているこういう様子を、いつまでみていてもあきないという気持ちをもっている人に、子どもは育てられたいと思っているのですね。

この時期の子どもにとって、なんにでも直接働きかけをすることが、ものを考えることなのです。高さの性質は、ある高さから飛び降りることによって、知ることができるのです。水の性質は、さわったり飲んだり、水で洋服をぬらしたりしてみることで、はじめて知ることができるのです。あれこれいろんなことをすることによって、理解するだけではなく、考えることや判断する力も身につけていきます。斜面《しゃめん》の性質は、のぼったり、すべって転《ころ》んだり、洋服をよごしたり、ひざ小僧《こぞう》にけがをしたり、たんこぶをつくったりして学ぶわけです。さらに子どもたちは、雨あがりのぬれたときと、天気のいい乾《かわ》いたときでは、こんなに様子が変化するのだということも、の

ぼったり、おりたり、すべって転《ころ》んだりしながら覚えていくわけです。

雨の日、子どもに長靴《ながぐつ》をはかせて幼稚園や保育園に送りだしてやると、帰りは水をいれて帰ってくるなんてことは、しょっちゅうやりますね。親は靴《くつ》に水が入らないように、長靴《ながぐつ》をはかせているわけです。

ところが子どもは、わざわざ長靴《ながぐつ》に水をいれるようなことをします。そうするとどんな感じになるのかなと、ためしてみたいわけです。ですから、だれかがやるとすぐにみんながやります。はじめに何ちゃんがやった。おもしろい？　みんな水道の蛇口《じゃぐち》にいって長靴《ながぐつ》に水をいれているのです。大人がみたら、なんてばかなことをと思いますよ、どうなるかは結果がわかっているのですからね。

きのう転《ころ》んだ坂道にまたいって転《ころ》がっちゃった、水たまりに入って靴《くつ》やズボンをよごしてきた、また、きょうもよごしてきた。親は「なんてばかなことをするんだ」と怒《おこ》りたくなりますよ。ところが、子どもはふつう、そういうことを一回や二回ではやめません。非常に怒《おこ》りっぽい、こわい親がいて、ひどくたたかれたり、折檻《せっかん》をうけたりすれば、それは一回でこりて、おそれて二度とやらなくなるでしょうけれどね。

斜面《しゃめん》の性質など、幼いときにわからなくても、いずれ知恵がついてくれば自然にわかるのだからといって、そんなことをいちいち経験させなくてもいいと考えるのは、まちがいだと思います。

たいせつなことは、生き生きと楽しく意欲的に考え、行動し、学ぶという感性の習得なのです。そのときそのときに、好奇心をいっぱいもって、自然など周囲の対象を

探索《たんさく》しながら、「感じ」、「考え」、自分の生命の充足感《じゅうそくかん》を体験する習性のようなものは、大きくなって急にできるものではけっしてないと思います。

大きくなって、宇宙の神秘《しんぴ》、生物の進化、数学の不思議、芸術の味わい、経済の意義、政治の本質、科学や宗教の深い意味などに、豊かな感受性、想像力、創造性をもって関心をいだくようになるためには、案外、幼い時期のこんなすごし方に基盤《きばん》や起源というものが、かくされているのかもしれません。

子どもの行動は科学者の実験とおなじ

ピアジェという人は、この時期のこういう子どもの活動について、こんなことをいっています。とてもだいじな、すばらしいことをいっています。ピアジェのことは、幼児教育にたずさわっている人たちはご存じでしょう。人間の知能が発達していくプロセスを、詳細《しょうさい》に研究した生物学者であり、心理学者であった人ですね。『知能の発達』とか『知能の誕生《たんじょう》』とか『知能の成熟《せいじゅく》』というような名著《めいちょ》があります。

ピアジェは、「この時期の子どもたちがやっている一連《いちれん》のそういう行動は、科学の第一線で未知の分野の研究をしている科学者がやっている実験的な行為《こうい》、すなわち、真理の探求をしている科学者の営みとまったくおなじだ」、ということをいっているのです。科学者のやっていることをごらんなさい。おなじ条件のもとでおなじ

実験をなんどもくり返して、おなじ結論を何回も得たときに、やっと納得するのです。そして、そこにあらたな事実や真理をやっと発見して、その先の研究実験にいくのです。

三歳くらいから四、五歳の子どもの心理というのは、そういうものです。長靴《ながぐつ》のなかに水をいれると、どんな気持ちがするのだろうか。この斜面《しゃめん》をのぼるのは、どれくらいたいへんだろう、どのぐらいすべりやすいのだろう。この高さを飛び降りたらどうなるのだろうか。このどぶ川の幅《はば》は自分で跳《と》びこせる距離《きょり》なのだろうか。隣《となり》の家の呼《よ》び鈴《りん》は、自分の家のとおなじような音色《ねいろ》で鳴るだろうか。トンボの羽をどこまできったら飛べなくなるだろうか。子どもというのはこういう類《たぐい》のことを、ときには残《ざん》酷《こく》なこともふくめて、あれこれ考えているのです。これらのことを何回も何回もおなじ結論を得るまでやるのです。あきてもういいと思うまで、なんどもなんどもいたずらの行為《こうい》をくり返すのです。

この時期にこういういたずらを、どれくらい十分にさせてやれるかが、子どもたちに独創的な創造力や自発性をどれくらい育てられるのか、その鍵《かぎ》になるといっているのです。けれどもふつうは、こういうことをピアジェのような高名《こうめい》な人に指摘《してき》してもらわないと、私たちは、幼い子どもたちの、こうしたいたずらにしかみえない行動に、価値や意義をみいだすことはできないですね。つい、「なんどいえばやめるの」などといって、しかったりしますが、子どもたちにとっては、なんどもなんどもくり返し、やりつづけるところに意味があるのですね。

親しい友達をほしがる時期

四、五歳から就学にかけての時期に、個人差はあっても、子どもは親しい仲良しの友達を非常にほしがりはじめます。それまでの、母親やそのほかの家族ばかりとの世界とちがった、仲間との新しい世界のなかで、新鮮《しんせん》な好奇心や探求心や知識欲などを満足させて、さらにあらたな感動を体験したがるのです。

この時期の子どもたちは運動筋《うんどうきん》（随意筋《ずいいきん》）の発達によって、走りまわったりすることがますます自由になります。疲《つか》れを知らず、ありあまるようなエネルギーを駆使《くし》して、活発に活動します。すこしぐらいのけがや迷子《まいご》のような失敗や不安の経験は、旺盛《おうせい》な好奇心や探求心のために、すぐに忘れ去られてしまいます。しかし、このような体験は、仲間や友達がいなくては味わうことができません。ひとりぼっちでは、ちょっとしたつまずきや不安に遭遇《そうぐう》しただけで、すぐに逃《に》げ腰《ごし》になってしまい、もう二度とそういう活動をしたり、おなじような場面に出向いていくことをやめてしまいがちになります。

ところが親しい友達といっしょですと、多少の失敗などはすぐに忘れて、知りたいことやためしてみたい興味ぶかそうに思えることとには、ひるまないで向かっていきます。自分ひとりではけっしていくことのできない距離《きょり》まで遠出《とおで》して、新しい公園や広場で遊んできたり、地域によっては年上の子どもに連れられて、川や沼でオタマジャクシやザリガニを捕《と》ってきたりします。自分の手に負《お》えるのかどうかわからない不確

実なことやちょっと危険そうなことを、自分たちの判断で計画して実行するようなことは、親しい信頼《しんらい》のおける友達といっしょだからできるのです。

子どもが、まだいったことのなかった空《あ》き地《ち》をみつけて遊ぶことや、はじめて小さな沼でオタマジャクシを捕《と》ってくるような体験は、登山家がどこかの困難な山の登《とう》頂《ちょう》に成功したり、科学者がなにか新しい発見をするのと同質のものです。

子どもの自発性や自主性は、探求心や創造性などの意欲的な活動の源泉は、このようにして育つ要素が大きいのですから、友達なしには育ちえないことになります。このようにして仲間とコミュニケーションしながら、発達してくる自発性や自主性が、社会性そのものなのです。ですから、とくに就学前後に、友達との遊びの体験を十分にすることとなしには、社会人としての資質は磨《みが》かれないことになります。

乳児は、最初のうちはお母さんの母乳だけで十分に育つのですが、やがて離乳食《りにゅうしょく》が必要になるように、子どもの自立的な心の発達には、母親や家族とのいい関係をへて、その後、友達など家族以外の人との豊かな関係がぜったい必要になるのです。

子どもの臨床者《りんしょうしゃ》として、思い続けてきたことは、現代の大人たちが、子どもにとっての友達のたいせつさを、いいかげんに考えすぎているということです。勉強の成績や稽古《けいこ》事《ごと》の進みぐあいには、たいへん気をつかっているのですが、友達といい関係をもって生きていくことには、多くの親たちが無関心でいることにおどろいています。私は学校の先生との勉強会などで、かならずお話していることですが、授業の落ちこぼれよりも、休み時間や放課後の落ちこぼれのほうが、人格形成の上でははるかに深《しん》

刻《こく》だということです。このことは本当に、なかなか理解されにくいのですが。

友達と遊ぶことによって自分のことを知る

子ども同士が友達になるときというのは、みていておもしろいですね。保育園などでは、そういう場面に出会うことがよくあります。

ウルトラマンの好きな子どもがいるのです。この子はだれにでも「キーック」と、かかっていくのですね。名前も知らない子にも「キーック」とかいって、かかっていったことがありました。すると相手が「シュワーッチ」とこたえてくれた。そのときこの子は、相手の反応の仕方《しかた》によって、その子と友達になれるかどうかを感じとるのです。

「キーック」といってかかっていったとき、そのとたん強いパンチが返ってきたら、これは自分の友達にふさわしくない。また、せっかくかかっていったのに、まったく反応がないか泣きだしたりしましたら、これもまた友達になれないと感じるでしょう。反対に、ちょうどいいタイミングで、ほどよいパンチでこたえてくれる相手をみつけたとき、この子はなんどもアタックして確かめてから、ちょっと照れてはずかしそうにしながら、その子の名前を保母さんに聞いてきたというのです。友達をつくるにも、子どもなりにいろんな接触《せっしょく》の仕方《しかた》があるのですね。

子どもはまた、自分自身を知るために友達が必要です。このことは、とてもたいせつなことです。子どもたちは遊びのなかで、遊び相手と自分の意見や考え方が、ときどきちがうことに気がつきます。そういうとき、あるときは自分の意見をおしとおし、またあるときは友達の立場や主張を認《みと》めて、その考えを優先させるなど、相手の能力や性格をみつめながら、自分のとるべき態度や役割を自覚し、臨機応変《りんきおうへん》に対応できるようになっていきます。

このようにして子どもたちは、相手を理解することと自分自身への認識《にんしき》を深めることを、同時並行的にやっていくのです。あるいは視点を変えれば、他人への理解と自己の認識《にんしき》は、おなじ意味をもっているといえます。ですから、友達への共感や理解が深まれば深まるほど、自分のことをよくみつめることのできる子どもになっていくことになるのです。

このように考えてきますと、友達のいない孤独《こどく》な子どもは自分をみつめる力が弱く、ささいなことで自分を見失い、衝動的《しょうどうてき》な行動をとりやすくなっていることが、よく理解できます。思春期になって家庭や学校で暴力をふるう子ども、自殺をしようとする子ども、万引きをする子ども、オートバイで暴走する子ども、シンナーなどの薬物の乱用に陥《おちい》る子どもたちは、それぞれいろんな性格や資質をもっているのですが、本質的にはほとんどの子が、たがいに共感し合えるようないい友達を得るすべを身につけないまま育ってきてしまった、孤独《こどく》な子どもたちなのです。

しつけは
くり返し教えること、
そして待つこと

しつけのはじまる時期

子どもが二歳、三歳と大きくなるにつれて、私たち大人はすこしずつ、しつけをしてまいります。しつけというのは、こちらの希望を子どもに伝えることです。乳児期の子どもの望んだことを、望んだとおりに満たしてあげる、それまでの依存《いぞん》体験とはちがってまいります。こちらの希望を、あるいは社会のルールを、こんどは子どもに伝える番です、それがしつけなのです。

「こうしなければなりません」、「こうしてはいけません」、すこし誇張《こちょう》していえば、強制と禁止です。けれども、しつけには伝え方があるのです。それまではいわば、子どもの要求を、一方的に満たしていればよかったわけですね。でも、子どもが歩くようになり、自分の意志で活動しはじめますと、ある時期からは、その両方を並行してやる時期、こちらの希望をたくさん伝えるようになっていく時期、こんなふうに移行していきます。その時期というのは、何歳になったらどうだというのではなくて、それまでに子どもがどのくらい、どういうことを、十分にしてもらったかによって決まると思います。基本的信頼感《しんらいかん》、すなわち、自分や相手を信じる力がよく育っている子には、多少きびしいしつけをしても大丈夫《だいじょうぶ》ですね。

昨今《さっこん》は、思春期になって、乳幼児期のやり直しをしなければならない人はざらにいます。これは容易《ようい》なことではありません。思春期や青年期の精神保健の臨床《りんしょう》には、そういうところが多いのです。思春期になってからの要求というのは、乳幼児期のころ

のように、だっこやおんぶやおんもじゃないですよね。これはもう、たいへんなことになってまいります。「幼児的」な感情をもったままの若者の要求を満たすことは、たいへん困難で不十分にしかできないことが多いと思います。ですから問題の解決も、しばしば不十分なのです。ある意味では人格のゆがみ、自信のなさ、屈折《くっせつ》した感情というものを、十分克服《こくふく》できないまま、大人になっていかざるをえないということです。

何歳ぐらいからどのようなしつけをするのかということは、子どもによってちがいますし、家庭のみなさんの価値観や保育園の方針など、いろいろなものがあるでしょう。けれどもその子どもの生《お》い立《た》ちによってもちがうのです。子ども一人ひとりの個性や、それまでの育てられ方によってさまざまで、何歳になったから、いっせいにこうだというのはひどく乱暴な話です。それまで家庭でなにがなされてきたのか、どのように育児をされてきたのかということによるのです。こういうことも、お母さん、お父さんや保育園の保母さんはよく知っておいてください。

子どもにとってのいいしつけ

しつけというのは、子どもの自尊心を傷つけるようなやり方でしようとしては、ぜったいにいけないのです。それはしつけなんかではないのです。反逆心《はんぎゃくしん》、敵意《てきい》、憎《にく》しみ、そういう感情を内在化《ないざいか》させるだけです。大人と子どもなのですから、対等じゃ

ないのですから。子どもがいい子でいてくれたら、こちらもいうことを聞いてあげるなんていうのでは、これは大人と子どもの関係ではありませんね。親子で本気になって、対等にけんかしている人がいますが、そういうことは両方にとって不幸なことですね。それは大人が成熟《せいじゅく》不全だといってしまえば、それまでのことですけれども。

子どもの望んでいることを、なんでもいうことを聞いていたら、子どもを過保護にしてしまうと思っている親が、案外多いのですね。けれども、子どもは過保護で悪くはなりません、子どもが望み、期待したとおりに聞いてあげすぎたため、依頼心《いらいしん》ばかりが大きくなって自立心が育たない、子どもがだめになったという話は、本当に聞いたことがありません。そういわれている場合のほとんどは、過保護どころかその反対の過干渉《かかんしょう》です。私の知るかぎりではそうです。そのことは前にもお話したとおりです。

なぜかというと、子どもはだれもが、自然の向上心をもっているのです。ほうっておいたって、本来はみんなしっかりしようと思っています。だっこやおんぶをしてやりすぎたから、歩かない子どもになったということはぜったいにないのです。子どもはできることなら、どんなことにもがんばりたいと思っているのです。がんばる自分を確かめて安心したいと思っているのです。親や周囲の人の賞賛《しょうさん》を得て喜びたいと思っているのです。ですから、安心してがんばれる気持ちや環境《かんきょう》を、つくってあげることがたいせつなのです。

運動会があれば、だれだって一等になりたいと思っているのです。お絵かきすれば、みんなより上手《じょうず》な絵を描《か》きたいと思っているのです、だれだってそうなのですよ。な

にをやったって一番になりたいと、どの子どもも思っているのです。ですからがんばれとか、こうしろなんていう必要はほとんどないのです。子どもは本能的に、りっぱなことをして、親やみんなから受け入れられたい、ほめられたいという気持ちを十分もっているのです。ですから、よほどのことがないかぎり、ありのままの子どもでいいのだという態度で見守っていてあげれば、それでいいのだと思います。

けれども、本来そういう感情や意欲を十分にもっていながら、ほめられるようなことができないという子どもは、たいていの場合、ほめられるようなことをする前に、自分のいうことを聞いてほしいということが、たくさんあるのだということです。そういう子どもにたいして、十分意欲や勇気がわきでてくるのを待てないで、早くからがんがんしかりながら、なにかをしつけようとするのは、どう考えてもうまい育児ではありませんし、いい教育をしていることにもなりません。子どもは、自分がたいせつにされていることを十分実感できなければ、意欲的にはなれないのです。

トイレット・トレーニング

幼い子どものしつけについて、だれにもすぐ頭にうかぶのは、トイレットのトレーニングだと思います。それで私はよく、それを例にあげてお話をするのですが、トイレットのことだけではありません。しつけについては一事《いちじ》が万事《ばんじ》なのですが、たとえ

ば手づかみでご飯《はん》を食べないで、スプーンやフォークや箸《はし》で食べるように、洋服を着たりぬいだりが自分でできるように、友達のものはとってはいけません、友達をぶってはいけません、おんもをはだしで歩いてはいけません、こういうふうなことをひとつひとつ教えていくのです。

そこで、トイレット・トレーニングを例にお話をしますと、トイレット・トレーニングというのはひとことでいいますと、おしっこやうんちを便器のなかにしなさい、あるいはお手洗《てあら》いにいってしなさい、パンツのなかや、部屋や廊下《ろうか》や運動場にしてはいけません、こういうことを教えるわけです。

ところが乳幼児、トイレット・トレーニングをするときは二歳前後ということでして、乳児ではありませんが、そのころの幼い子どもの気持ちというのは、非常に特有のものがあります。たとえば体についているものとか、自分の体内にあるものとかを、不潔《ふけつ》なものとかきたないものとは、けっして思っていないのです。それどころか、自分の体の一部ですから、排泄物《はいせつぶつ》にも愛着さえ感じているのです。子どもにとっては自分の鼻水であるとか、おしっこだとかうんちだとかというものは、「自分のもの」なのですから、子どもにとってはだいじなものなのです。ですから、それをきたなくひどく不快に感じる人は、こういう時期の子どもの育児者としては不適格ですね。子どもの気持ちをそれだけ傷つけることになります。

おなじように、患者《かんじゃ》の排泄物《はいせつぶつ》をきたなく思う看護婦は、看護婦には向きません。患《かん》者《じゃ》の嘔吐物《おうとぶつ》、おしっこや大便に、目をそむけて顔をしかめてしまう人は、もう看護婦

にはぜったいなってはいけないですね。そのことが患者《かんじゃ》にとって、どんなに悲しくみじめなことか、経験のない人にはおそらく想像できないですよ。絶対安静とか重体とかで、自分でトイレットにいけないということは、それだけでとても悲しいことなのです。

ですから、できることなら気心《きごころ》の知れた家族に、お尻《しり》の世話はしてほしいというような気持ちに、だれもがなると思います。本当に安心して気のゆるせる人、もう自分の分身のように親しい人に、子どもならば自分の親のような人に、ということですね。自分でトイレットにいけない、下《しも》の世話をだれかにしてもらわなくてはならない、というような病気になったときのことを、ちょっと想像してみてください、みなさん。

その世話をしにきてくれた人が、とっても不愉快《ふゆかい》そうな顔をしたとしたら、こんなにつらいことはありません。つらいからどういうことをするのかというと、できるだけがまんしようとするでしょう。たとえば、一日に一〇回おしっこをするところを、五回ですまそうとするとか、はってでも自分でトイレットにいこうとするとか、悲しくて奇妙《きみょう》な努力をすることになります。

おなじように、下手《へた》な育児というのも、しばしば、子どもにそういう思いをさせてしまうのです。そのうえ、トイレットが自立する前の幼い子どもは、自分の排泄物《はいせつぶつ》がきたないとは、けっして思っていないわけです。それどころか、自分のたいせつな所有物だと思っていますよ。この感情は大人になったものには、なかなか理解しにくいものです。私たちが重病で看護者や介護者《かいごしゃ》にトイレットの世話をしてもらっているの

とは、すこしわけがちがうのです。そのころの子どもにとっての排泄《はいせつ》は、たいせつなものを捨てるというぐらいの感情があるのです。

鼻水やうんちも自分のもの

このころの子どもが、自分の排泄物《はいせつぶつ》をたいせつに思っているという気持ちは、たとえば、鼻水をなめているのをみるとわかります。鼻水はたいていペロペロなめていまして、几帳面《きちょうめん》にふいている子どもなんていないのです。せいぜい、シャツの袖《そで》でふいているぐらいのものです。あとはたいていなめています。鼻くそなんか、せっかく指でほっても食べてしまうのですよ。大人のように、鼻水や鼻くそを几帳面《きちょうめん》に捨てている子どもなんていませんね。たいていは、なめたり食べたりしています。

それはけっして、おいしいと思って食べているのではないのです。そういう子どもたちにしてみると、ただ「自分のもの」なのです。ですからおむつがとれる前、トイレットがしっかり自立する前の子どもが、うっかりおしっこをもらしてしまって、床《ゆか》のうえに水たまりをつくったなんてことがあったら、その子はだいたいよちよち歩きをしている一歳何か月かの子どもですね。おしっこをさせるためにパンツをはずして、こちらがちょっとよそみをしている間に、子どもがちょろちょろと歩いていって、床《ゆか》の上におしっこをしちゃった、というようなことはよくありますね。

そんなときには、みなさん一瞬《いっしゅん》「あらっ」と思っても、じっとがまんして知らん顔をして、みていてごらんなさい、子どもはかならず、そのおしっこの水たまりのそばにすわります。そしてたいていおしっこを、パチャパチャとたたきますよ。ほとんどの子どもは、なぜかそうします。そして、最後にはおしっこを両手でバアーッとまきちらしてしまって、もうだれにもあげないというようなことをします。あたかもそうみえます。子どもたちはなにもいいませんから、わかりませんが。それで、自分のおしっこでの水遊びをおしまいにするのです。

うんちをポロッともらしたときも、おなじようですね。いまはピチッとフィットしたいい紙おむつがありますから、そのような場面はないかもしれませんが、昔はたるんだようなおむつをよくしていたものですよ、おばあちゃんのゆかたをほどいてつくったようなな。だからおむつの脇《わき》から、うんちがポロッと落っこったりしました。よちよち小さい子が歩いていると、おむつのすきまからポロッとうんちを落っことす。

そんなときも、たいていの子どもは、「おやっ」というふうにして、うんちをふり返ります。かならずといっていいほど立ち止まりますね。うんちを落としたときというのは、なぜか子どもにわかるようです。それでふっとふり返って、「あ、いけない。なにか落っことしちゃった」。もうほとんどそういう感じです。そして、「自分のもの」ですから拾いますよ。トイレットが自立していない子どもが、自分のうんちを無視して、歩いていってしまうなんて図《ず》はあまりありません。気がついた子どもは、たいていそれを拾いあげるものです。

ところが、おしっこにしろ、うんちにしろ、親や保育者はそんなに余裕《よゆう》をもって、子どものしぐさを眺《なが》めていられる人はいないわけです。子どもがおしっこやうんちをしてしまうと、「ああ、たいへんたいへん、くちゃいくちゃい、やだやだ」なんていって、子どもをいそいで向こうに投げだしておいて、あっという間にかたづけてしまうわけです。子どもが「自分のもの」だと主張する前に、あっけにとられているうちに、かたづけられてしまうわけです。

そのあたりのことは、小さいときにだいじにしていたおもちゃが、もう遊ばないだろうと、あっという間に捨てられてしまったという感じとにていると思います。子どもがたいせつにして遊んでいた古いおもちゃが、たんすの奥《おく》から見つかったとき、もう大きくなったのだから、こんなおもちゃでは遊ばないだろう、お人形さんの手足ももげちゃっているし、電車の車輪が一個とれているし、こんど捨ててしまおうと親がいったとします。たいていの場合、子どもは「いやだ」といいますね。小さいときに遊んだなつかしい自分のおもちゃには、大きな愛着があるのです。理由もなく、とっておきたいというのです。そして、「しかたがないな、そんなに捨てるのがいやなら、おもちゃをとっておいてあげるから」、「これで遊ぶんでしょ」なんて聞くと、「うん」なんていってますよ。けれどもとっておいてあげると、安心して見向きもしないで、新しいおもちゃで遊んでいるのです。

ほかに新しくてもっといいおもちゃがたくさんあるし、こんな幼稚《ようち》なおもちゃでは遊ばないと大人は思うのですが、こういうときの子どもの気持ちは、おしっこやうん

ちのときとちょうどおなじなのです。たいせつな「僕のもの、私のもの」なのです。

それとおなじように「さあ、ここでうんちをしなさい」、「ここでおしっこをしなさい」といって、便器にすわらせても、最初のうちは、子どもはぜったいにしませんね。

何ちゃんは保育園にくると、だいたいこの時間帯に、おむつやパンツのなかにうんちをしている。だからその時間帯の直前に便器にすわらせてあげれば、うんちをするはずだというのは、はずだ、だけであって、まずそこではしないでしょうね。ちょうど、こんな古いおもちゃはもういらないから、捨てましょうねといったら、「いやだ」というのとおなじで、意識してうんちをしようとすることが、いやなのです。愛着のある自分のものを捨てるのはいやなのです。最初はみんないやがります。おむつがとれる前の子どもというのは、みんなそうなのです。ですから、何回も便器にすわらせても、おしっこもうんちもしないですが、おむつやパンツをはかせておいてやると、安心していつの間にかそのなかにしているものです。

教え伝えるまでがしつけの役割

それでは、おしっこやうんちのとき便器にすわらせたり、あるいはトイレットに連れていったりして、教えることが無意味かというと、そんなことはありません。教えなければ、いつまでもできないのです。なかなかできないのですから、教えてあげる

ことがとてもだいじなことなのです。私たちは、あなたにここでうんちをしてほしいんだと、ここでおしっこをしてほしいんだということを、くり返し伝えることがしつけです。そして、とてもたいせつなことは、くり返しそのことを伝え教えながら、本当にあなたがここで上手《じょうず》にできるようになるのはいつか、楽しみに待っていてあげるからという気持ちですね。そして、その時期は自分で決めなさい、自分で決めればいいのですよといってあげることです。そういう態度で接してあげることです。しつけというのは、基本的にはそういうことなのですね。

子どもたちは、しつけをされることがいやなのではないですね。しつけをされることは、子どもたちにとっては、ある意味では喜びなのです。新しいことを知ることや身につけることによって、大人の仲間入りができるようになることですし、できないことができるようになることですから、子どもにとっては喜びなのです。ですから本来、しつけをされることは悲しいことでも、苦痛なことでもないのです。

子どもというのは、しつけられる経験をとおして、自分で自分の衝動《しょうどう》をコントロールする、自分で自分を管理することができる力が、身についていくことに喜びを感じているわけです。子どもは、向上し発達していくことが最大の喜びです。ですから、教えなくたって、子どもははいはいするし、寝返《ねがえ》りもする、立って歩きはじめるし、みんな自分で自分のことをしようとするわけです。

しつけでだいじなことは、子どもに、あなたはさっきおしっこしてから、ずいぶん時間がたっている、もうおしっこのでるころだから、できたらここでおしっこをして

ちょうだいと伝えることです。あなたは保育園にきてこのくらいの時間に、たいていうんちがおむつやパンツのなかにでるのだから、トイレットやおまるのあるところでしてちょうだいということを、できるようになるまで、ただくり返し教えることなのです。そして、パンツをとってあげて、おまるにすわらせてあげるのです、これが練習です。

しかし、はじめのうちは、こちらの願ったようには、けっしてしないということは知っていなくてはいけません。子どもは古いおもちゃへの愛着とおなじように、おしっこやうんちにも「自分のもの」という愛着にた感情があって、捨てるのはいやなのです。けれども、パンツのなかにいつまでもしているのでは困りますから、おまるにちゃんとするように伝えるわけです。

いつかできるようになるだろうという期待だけで、いそぐことなく、たいせつなことを伝え続けるのです。しつけというのはみんなそういうものです。「何ちゃん、いつからできるようになるかな、お母さん楽しみにしている、先生楽しみに待っている」、「何ちゃんいつからここに、おしっこが上手《じょうず》にできるかな、お母さん楽しみに待っている」と、これだけ伝えておけばいいのです。

箸《はし》の使い方にしても、洋服を着たりぬいだり、靴《くつ》をはくことも、子どもはみんな自分でやりたいのですね。ところが、すぐにはできない。その手順《てじゅん》を教えながら、いつ自分ひとりでできるかは、子どもが自分で決めればいいのです。できない間は手伝ってあげるから、心配いらないというメッセージを伝えながらしつけるのが、うまい育

児だと思います。

言葉でいうか態度で示すかは別として、子どもまかせにしてあげるから自律心《じりつしん》が育つのです。このときの自律《じりつ》というのは、法律《ほうりつ》の「律《りつ》」を書きます。自分で物事《ものごと》を決めていくという意味ですね。子どもの自律《じりつ》というのは、しつけをつうじて育てるのですが、こうしてはいけません、こうしなければいけませんということを、優《やさ》しく、できるまでくり返しくり返し伝えるのです。失敗すれば、また教え伝えるのです。伝えるところまでがしつけでありまして、いつからできるようになるかは、子どもまかせにしてあげるところに、しつけのいちばん重要な鍵《かぎ》があるわけです。

ですからいちばんいけないのは、おしっこを教えるのに、「でるまですわってなさい」と、こういう態度です。「もううんちがでる時間なんだから、あなたはでるまで立っちゃいけない」、こういうやり方が自律心《じりつしん》の発達を、最大にさまたげるのだと思います。理由はおわかりでしょう？　他律《たりつ》ですものね。子どもの行動をほかの人がコントロールしているのですから。子どもに決めさせてやらないのですから、自律性《じりつせい》が育つはずがありません。

現代っ子のなかには、他人にコントロールされすぎて、思春期に爆発《ばくはつ》するという子どもが目立ちますね。親の顔色や、大人の顔色ばかりをみて育ってきたところが多くて、自分で自らを律《りつ》する力が育っていない、幼いときからそういう育ち方をしてきた子どもが多くなりました。思春期神経症《しんけいしょう》、いろんな神経症的《しんけいしょうてき》な行動をとる不登校や拒《きょ》食症《しょくしょう》など、子どもや若者たちに共通した問題にも、基本的にはそういうものがある

と思います。

しつけをするときにたいせつなことは、くり返しきちんと教えて、それらが実行できる時期はゆっくり見守ってあげながら、できるだけ子どもまかせにしてあげるということなのです。子どもからすれば、たいせつなことはくり返しよく教えてくれて、しっかり上手《じょうず》にできるようになるのを、あせらずにいらだたないで、じっと待っていてくれることなのです。親や保育者にたいする信頼感《しんらいかん》と尊敬の気持ちは、こんなふうに育てられるところが大きいと思います。人を信じ、尊敬し、自分に誇《ほこ》りや自信をもつための基本的な感情は、このように育てられると思います。そしてこの基本的感情が、自分の感情や衝動《しょうどう》を抑制《よくせい》する機能―自律性《じりつせい》―というものを発達させるのです。

このようにして子どもは、ゆったりした育児のされ方をしていれば、あれこれ多少のことで、早い子とおそい子といますけれども、みんなしっかり自律心《じりつしん》を発達させていきます。必要なことはなんでも、しっかりと自分でできるようになっていきます。けっしていそぐことはないのです。こういうことが育児の基本原則です。こういう態度で育てられたら、おおむね子どもはうまく育っていくと思います。

育児に失敗があるとしたら、その多くはいそぎすぎによるものだと思います。そのつぎが手ぬきでしょうか。ですから、いそがず手をぬかずにを心がける、これが育児のコツですね。

強制の強すぎるしつけは、自律《じりつ》をさまたげる

こういうふうにお話してきますと、いちばんまずい育児とはどういうものかは、ご想像いただけると思います。たとえばトイレットのしつけなどで、もうそろそろおしっこがでるころだから、便器に「でるまですわっていなさい」というやり方だと思います。なぜいけないかというと、子どもからみれば、それは他律《たりつ》ですから。ほかの人がコントロールしているのです。それでいて自律心《じりつしん》豊かな子どもに育ってちょうだいなんて、こんなむしのいいことはないのです。ですから、ただやたらに早くおむつをとるなんていうことは、子どもの自律心《じりつしん》を育てるためには、なんにも役立たないわけです。そういう育児のまちがいをする人が案外いるのです。

早くおむつをとる、なにがなんでも三日でとろうとか、五日でとろうとか、一週間以内にできるようにしよう。また、トイレットを自立させるためには、便器にむりやりにでも長くすわらせておく。そうすると子どもはしびれをきらして、泣きながらするかもしれません。

けれども、それは成功なんかではないのです。子どもからみれば、ほかの人からコントロールされているわけで、うっかりすると無力感のほうが大きくなって、自律性《じりつせい》なんて育たないのです。自主性とか主体性といわれる人間の機能が育っていない若者が多いといわれますが、このような育児法と無関係ではないでしょう。

自分で自分の衝動《しょうどう》をコントロールすることができない子どもの成育歴は、よく研究

されている分野です。多くの研究者や臨床家《りんしょうか》が、しつけをされる、あるいはされてきたいろんな子どもたちを、詳細《しょうさい》に観察して多くの事実を発見してきました。

強制が強すぎる育児というのは、子どものなかに自律性《じりつせい》が育たない。自律性《じりつせい》が育たないということは、たとえば二者択一《にしゃたくいつ》という場合の決断ができない。こちらを取ればあちらが立たず、あちらを取ればこちらが立たずというような場面になると、いっそう決断ができなくなります。決断ができないとどうなるかというと、困難な解決は自分でしないで、成り行きまかせの生き方をする、あるいは、時間が解決してくれるような生き方しかできない、あるいは、解決しないままずるずる問題をひきずっていく、こういう人格ができてしまうことになります。

ひとつの例として、あまり意味のない形式的なことに、不必要なこだわりを示すということがあります。たとえば小学校に入って、ノートを過度にきれいに書かないと気がすまない、落ち着かないということがあります。だから、算数のプラスやマイナス、イコール、分数のバーなどの記号を定規《じょうぎ》をあてて書くなんていう子どもがいます。一見《いっけん》、ノートはきれいですが、それはあまり意味のないむだなことです。そういうむだなところにエネルギーを使うという、強迫性《きょうはくせい》や完全癖《かんぜんへき》は自律性《じりつせい》や自主性の反対のものです。こういうむだなところへエネルギーを使うということは、だいじなところに使えないということでもあるのです。自分でもあまり意味がないということを自覚しているのに、そうしないと気がすまない、自分で自分の衝動《しょうどう》をコントロールできなくて、苦しんでいるのです。かっとしやすい、ささいなことで「ムカつく」、あるいは

衝動買《しょうどうが》いをしてしまう。こういうことは、みんなおなじ起源をもつ感情です。

いま、お話をしたようなことは、多くの人が、いろんな程度にもっているということはあると思います。ひょっとしてみなさんのなかに、どうも衝動買《しょうどうが》いをする癖《くせ》があって困るという人がいましたら、自分が一歳から三歳ぐらいのころ、どう育てられたかをふり返ってみるのもいいかもしれませんが、たいてい記憶《きおく》がありませんね。

そういうことをエリクソンをはじめ多くの心理学者たちは、じつにみごとに明らかにしてきたのです。ですから、保育者のみなさんは、ご自分のところにいる子どもたちは、いろんなしつけをするのにだいじな時期ですが、いまの時期は「こうするのですよ、ああしてはだめなのですよ」ということを伝える、それだけでいいのです。気持ちのなかには、「いつから上手《じょうず》にできる子になるかな、楽しみに待っていてあげるからね、自分で決めればいいんだよ」、こういうゆったりした気持ちでみていてあげるというのがいいのです。

じっさい、エリクソンもいうように、乳幼児期に自分の要求をたくさんかなえられた子どものほうが、自律性《じりつせい》が育つのが早いといいます。自分の要求を乳幼児期に、十分かなえられなかった子どものほうが、自分で自分の衝動《しょうどう》を自制したり、困難なことを決断していく力は育ちにくい、ようするに、自分を信じる力が小さく弱いわけです。

ですから、なにごともうまくできない子どもには、こちらのいうことを性急《せいきゅう》にたくさん聞かせるという発想で育児をしたのでは、ますます自律性《じりつせい》をそこなう方向へ追いこんで、だめにしてしまうわけです。こちらが子どものいうことを、どういうことを

どれだけ聞いてあげると、子どもは自信を回復し、人を信頼《しんらい》していくのかを考えてみる、こういう発想がいいのです。

現在の発育や成熟《せいじゅく》の課題がうまくいっていないような子どもには、すこし前の時期にさかのぼって、きちんとおぎないをつけていく、こういうゆったりした育て方がたいせつだと思います。前の段階の成熟《せいじゅく》のテーマ、発達のテーマがうまくいってなければ、つぎの段階にいきにくいし、いけないのですから。けっしていそがないで、その子のペースをゆっくり守って育ててあげる。人生という長いマラソンレースは、こんなやり方で着実に一歩一歩、走ったり歩いたりしていけばいいんだよ、ということを教えてあげるのが、いい育児だと思います。

体の発達で考えるとよくわかりますが、首がすわらない赤ちゃんは、寝返《ねがえ》りがうてないのです。ですから、首がまだすわっていない赤ちゃんに、いくら寝返《ねがえ》りの訓練をしてもだめでして、首がすわっているかどうかが、まずだいじであるということです。ですから、運動のまひや、発達障害のある子どもを治療《ちりょう》する理学療法《りょうほう》の専門家は、運動発達の手順《てじゅん》をちゃんとふまえて、こうならなければ、こうなるはずがないというやり方で、子どもを育てていきます。子どもが育っていく道筋《みちすじ》は、なにも運動発達だけに手順《てじゅん》があるわけではありません。知的な機能も、社会的自立の能力も、精神的な面もみんな順序があるという意味ではおなじです。

自《じ》律《りつ》心《しん》の育つとき

乳児期の終わりから幼児期の後半、生後一歳ぐらいから三歳ぐらいまでの間は、エムディが指摘《してき》したソーシャル・レファレンシングという、人間にとって重要な感情とは別の意味で、子どもの自律心《じりつしん》というたいせつなものが育つ時期なのです。

この時期は子どもたちの心のなかに自律性《じりつせい》という感性や機能の基盤《きばん》がもっともよく育つときであると、エリクソンはいっています。

自律《じりつ》というのは、自分の衝動《しょうどう》などを自分でコントロールする、自分で自分を律《りつ》する力です。法律《ほうりつ》とかによってコントロールされるのではなく、自分でするから自律《じりつ》なのです。そのことは、小さいときから身のまわりのいろんなことを早くよくできた子どもが、しっかりとした自律心《じりつしん》のある子どもになっていくということではないのです。小さいときから、自分の身のまわりのことをしっかりできた子どもが、将来、自律心《じりつしん》をもった人になっていくのだったら、乳児院や養護施設《しせつ》の子どもは、家庭で育つ子どもよりはるかに自律心《じりつしん》が大きいはずです。

私は神奈川県内と東京で、いくつかの養護施設《しせつ》の相談医をしてまいりました。養護施設《しせつ》は、種々《しゅじゅ》の理由で、親に育ててもらうことができなくなった子どもたちが生活しているところです。一般《いっぱん》に施設《しせつ》の子どもというのは、家庭の子どもと比較《ひかく》にならないほど早くから、自分で自分の身のまわりのことをしたり、当番でいろいろな作業をしたりします。そういうことを早くから実行できるようになると、将来、子どもはしっ

かりした自律心《じりつしん》をもって生活していくかというと、残念ながら、そういかないことが多くて、しばしば事態《じたい》は逆なのです。

一般的《いっぱんてき》にいいますと依存《いぞん》経験の少ない子どもは、どんなに教育や訓練をうけたり、きびしくしつけられても、本当の意味でしっかりした自律性《じりつせい》は身についていかないものです。むしろ自律心《じりつしん》の発達はおくれることが多いのです。あるいは、何歳になっても身につかないという人も、たくさんいるのです。なぜかというと、まずなによりも、安定した依存《いぞん》経験がたりません。そして、それにもかかわらず、周囲からの期待やしつけが性急《せいきゅう》すぎるのです。子どもの要求を、たくさん、まわりがくみとってあげる余《よ》裕《ゆう》がなくて、こちらの希望や要求や命令を早くから子どもに伝えて、そして早く結果をだそうというように自然になってしまいがちなのです。

現代の若者は、かっとしやすいとか、自分で自分の衝動《しょうどう》をコントロールできない人がふえてきたといいます。その自律性《じりつせい》というものの基盤《きばん》は、幼児期の前半にもっとも感受性豊かに育つのです。それはどのようにして育てるかというと、しつけをつうじて育てるのです。しつけというのは、究極的《きゅうきょくてき》にいえば、「こうしなければいけませんよ」ということと、「こうしてはいけませんよ」ということを教えることです。ですから、強制と禁止です。子どもにとってのしつけの上手《じょうず》な人というのは、この強制と禁止を上手《じょうず》にする人だ、こういってもいいと思います。そこで、しつけをする場合にいちばん気をつけなくてはならないことは、子どものプライドを傷つけないでするということです。それは、だれがだれに教育する場合でも、まったくおなじです、なに

も幼児だけとはかぎりません。

それどころか、しつけは自尊心を豊かに育てながら、社会のルールを守り、文化を継承《けいしょう》し、やがて文化の創造に積極的に参加していく子どもを育てる、ということだと思います。そのためにたいせつなことは、教えるべきことは子どもに、なんでも伝えていきますが、子どものなかに、そのことを積極的に実行しようとする気持ちや機能が熟《じゅく》してくるのを、子どもまかせにして待っていてあげることなのです。そしてその時期は、子どもに決めさせてやる、自分を律《りつ》することができるときを、子どもに決めさせてあげるというのがたいせつなことなのです。

思いやりは
身近な人とともに育つ

どんな子どもに育てたいか

自分の子どもをどんな子に育てていきたいかを考えていく場合、まず、「勉強・スポーツ・稽古事《けいこごと》・思いやりと四つのテーマがあるとしたら、どういう順番に優先順位をつけますか」と、よく聞くことがあります。勉強ができて、スポーツができて、稽《けい》古事《こごと》ができて、そのうえ思いやりのある子どもになれば、申《もう》し分《ぶん》ないと思いませんか。みなさんは、いかがでしょうか。きっと、多くの親は勉強はできなくてもいいから、思いやりのある子どもに育ってほしいとおっしゃると思います。けれども、本音《ほんね》では思いやりや優《やさ》しさの気持ちより、勉強がよくできる子どもになってほしいと、思っていらっしゃるかもしれませんね。

先日、ある幼稚園で、お母さんとお父さんの集まりがありました。そこで、お母さんやお父さんたちに、「ご自分のお子さんを、どんな子どもに育てたいですか」というようなことをうかがってみました。みなさんは、親としてのいろんな希望や気持ちがあるだろうと思います。勉強ができる子になってほしい、スポーツが得意な子にもなってほしい、稽古事《けいこごと》も上手《じょうず》になってほしいと、これはどの親でも思うことですね。けれども、なかなかそうはっきりとはおっしゃらなくて、たいていの親は、「思いやりのある子になってほしい、優《やさ》しい子になってほしい、親切な子になってほしい」とか、そういうふうな意味合いのことをおっしゃっていました。これも、親としてはとうぜんな願いでしょう。そのうえで、勉強もできたらもっといいとか、いろんな希

望や期待があるかと思います。そのときは、日ごろからよく知り合った人たちの内輪《うちわ》の会でしたから、私はこんなことを率直《そっちょく》に聞いてみたのです。「それでは、思いやりのある子に育ってほしいと私たちが思ったとき、だれが、いつどのようにして、子どもに思いやりの気持ちを教えますか」と聞きました。みなさんはどう思いますか。

思いやりはどうやったら育つのか

思いやりの気持ちというのは、子どもたちにどのようにして育つのだろう、ということも考えなければいけないと思います。

思いやりのある人というのは、もっとも人間らしい人間といえるかもしれません。だれもが願うことですが、子どもの心に、思いやりの気持ちはほうっておいても育つわけではないのです。私は思うのですが、これは、だれかがだれかを思いやっている姿を、日ごろから身近にたくさんみる必要があるのです。たとえば、親切な子に育ってほしいと思うなら、親切な人をたくさんみながら育たなければならない、そうしなければ子どもの心のなかに親切というものは育たないのです。あたりまえのことですが、こんなあたりまえのことを、近年、私たちは子どもを育て教育する場合に、すっかり忘れているのではないでしょうか。思いやりというのも、思いやりのある人のそばにいて、思いやりのある姿をたくさんみて育たなければ、子どもの心に思いやりは

育たないわけですよね。

ところが、自分の子どものなかに思いやりを育てるのは自分なんだということを、親はあまり意識していないのです。自分はふだんから、このように心がけて、子どものなかに思いやりを育てようとは、なかなか思っていらっしゃらない。にもかかわらず、頭のなかでは、この子が思いやりのある子に育ってくれないかと思っているのです。そんなに一生懸命《けんめい》に考えているわけではないかもしれませんが、だれかが、どこかで、育ててくれるであろうという程度の希望はもっているのです。

「それでは、親としてあなたはどんな心づもりで、どんなふうにして思いやりを育てていくのですか」と問いかけると、みなさん、わからなくなってしまうのですね。けれども、思いやりを育てるというのは、本当にたいせつなことなのです。子どもがこういうふうに育っていってもらいたいと思ったら、子どもたちに、だれかが模範《もはん》を示さなければいけないのです。こういうことは、きちんと考えていただきたいと思います。

ついでに申《もう》しますと、子どもの勉強、スポーツ、稽古事《けいこごと》、思いやりの気持ちなどといったものを考えてみますと、近年、勉強、スポーツ、稽古事《けいこごと》という知識や技術、あるいは技能的なものは、お金さえだせば教えてくれるところはいくらでもあるのです。学習塾《じゅく》、スポーツクラブ、音楽教室、絵画《かいが》教室などたくさんあります。ところが、思いやりというような人間らしい感情だけは、だれも、どこでも、育ててくれないものなのです。

私たちは今日《こんにち》、面倒《めんどう》なことはなんでも、お金ですませてしまおうとする習慣が身についてしまったものですから、思いやりのような、親が自分の家庭でやらなければならない人間らしい面だけは、子どもの心に育てられなくなってしまいました。ですから、お金で買う便利さになれてしまって、多くの人は、なかなか便利にならない育児にいらだっているのが現状です。

子どもは身近な人をお手本にする

人間の子どもというのは、それはみごとに、身近にいる人をお手本にいたします。私たちからみてよくわかる、いちばん極端《きょくたん》な例は、狼《おおかみ》少年とか狼《おおかみ》少女の話です。アベロンの『野性児』、あるいは『狼《おおかみ》少女』のような例です。『狼《おおかみ》に育てられた子ども』など、いろんな本がでておりますが、読まれた方もいらっしゃるかもしれません。そのうちのひとつ、『狼《おおかみ》少女』のお話をします。

インドのカルカッタの郊外《こうがい》で、狼《おおかみ》の洞窟《どうくつ》から出入りをしている、あたかも人間のような四つ足の生きものを村人がみつけて、自分たちが尊敬する村の教会の牧師さんに、そのことを伝えにいきます。牧師さんが村人を集めて、その少女を救出するといいますか、人間のもとに取《と》り戻《もど》すわけです。そうしましたら、女の子が二人で、ひとりの子は推定年齢《ねんれい》が七、八歳、もうひとりの子どもが三、四歳だったと思います。本当の

姉妹《しまい》であったかどうかわかりませんが、その二人の女の子を村人が救出して、その後ケアをしていきますと、いろんなことがわかってまいりました。

まず、狼《おおかみ》少女は二本足で立って歩かなかった、四つ足で親の狼《おおかみ》とおなじくらいすばやく移動ができたのだそうです。これは大変意味深いことです。なぜ人間の子どもなのに、立って歩かなかったのだろうかという疑問が生《しょう》じます。親の狼《おおかみ》とおなじくらいすばやく移動ができたとすれば、もともと手足の運動機能に不都合《ふつごう》さはなかったのでしょう。ですから十分に走りまわれるわけです。

なぜ立って歩かなかったのか、あるいは人間の子どもはなぜ立って歩くのか、ということを考えてもいいかもしれません。それは、まわりのお手本が立って歩くからなのです。狼《おおかみ》少女にとっては、身近なお手本の親の狼《おおかみ》が四つ足で移動していたから、その子どもたちは、はいはいの延長のような四つ足のままで、育ってしまったのですね。

最初の誕生《たんじょう》をむかえるころに、狼《おおかみ》少女たちが伝い歩きをするとか、つかまり立ちをするとか、あるいはひとり歩きをしようとしたときに、親の狼《おおかみ》がそんなことをしてはいけませんと、しかったのではないと思います。狼《おおかみ》少女たちは立って歩こうとしなかったのです、それはお手本が四つ足だったからですね。

人間の子どもは食事のとき、しつけが悪くても、あるいはなにもしつけをしなくても、最初から、手づかみでものを食べます。けれども、狼《おおかみ》少女は「前足」の手で食べ物をおさえておいて、そこへ口をもっていって食べたといいます。

人間は箸《はし》やスプーンを使うか、フォークを使うか、なにを使うにしても、とにかく、ものを口にはこんで食べます。ですから、子どもはそれをみているわけです。私たちは、手を使って食べなさいということを教えませんが、子どもはとにかく、食べ物を口にはこんで食べるということを、みているだけで覚えるわけです。ですから、人間の子どもは手づかみで口にはこんで食べるわけです。ところが、狼《おおかみ》少女の場合は、狼《おおかみ》の親は食べ物を手で口にはこんでいない、前足でおさえて口をそこへもっていって食べているわけです。ですから、親の食べている姿をみているだけで、そういうしぐさを覚えるのです。

とうぜん、はじめのうちは、狼《おおかみ》少女は言葉をひとことも話しません。それは、狼《おおかみ》の親が言葉をしゃべらなかったからですが、狼《おおかみ》少女たちは、人間が聞いて狼《おおかみ》と区別ができないほど、じつにみごとな遠吠《とおぼ》えをすることができたのです。発声もなにもかも狼《おおかみ》そっくりにやるわけです。移動も四つ足ですし、ものの食べ方もそうですし、遠《とお》吠《ぼ》えの声も狼《おおかみ》そっくりにできるのです。

人間というのは、このように耳で聞いたことを、そのまま音にすることができるのです。アメリカの子どもは英語を聞いて、英語のとおりに話をするし、日本の子どもは日本語を聞いて、日本語のとおり話をします。それぞれの地方の聞き覚えた方言《ほうげん》をそのまましゃべるし、フランスの子はフランス語を話すのです。そして狼《おおかみ》に育てられた子は狼《おおかみ》の発声をするというわけです。

ものの食べ方にしろ、移動の仕方《しかた》にしろ、みんな親のやること、まわりの人のお手

本どおりにやるのですね。人間の学習力の大きさや豊かさには、あらためておどろかざるをえません。

おそらく、猿《さる》が狼《おおかみ》に育てられても、猿《さる》は狼《おおかみ》のようにはならなくて、猿《さる》になってしまうだろうと思います。そういうことを実験している人がいますけれども、猿《さる》はだれが育てても、やっぱり猿《さる》になってしまうのですね。学習する機能の豊かな人間の子どもだから、狼《おおかみ》のようになるのです。もし人間の子どもが猿《さる》に育てられたら、どれくらい木登りがうまくなるか、これはそういう実験がありませんからわかりませんが、きっと私たちよりははるかに、木登りが上手《じょうず》な猿《さる》ににた人間にはなるでしょう。それから、きっと「キッキッ、キャキャ」と奇声《きせい》を発するでしょうね。

ですから、子どもの心に思いやりのような人間的な感情が育たなかったとしたら、不幸なことに、その子はそういう思いやりのある人に、めぐり会えない環境《かんきょう》で育ったということかもしれません。人間の本来の学習力からすれば、そういうことがいえるでしょう。人間の子どもを、狼《おおかみ》はじつに狼《おおかみ》らしく育てられるのに、人間が人間らしい子どもに育てられなくなってしまったとしたら、私たち大人が人間らしさを失っているということだと思います。

小さいときほどお手本どおりに育っていく

いずれにしろ、そのように人間の子どもというのは、小さいときであればあるほど、お手本どおりに育っていくものです。大きくなればなるほど、お手本のようにならなくなってくるわけです。もう、一定の決まった路線でいってしまうのです。小さいときには、お手本どおりになるというところがとてもだいじなのです。ですから、みなさんたち乳幼児の保育者は、子どもにとってのお手本なのです、お手本を示していらっしゃるわけですね。

たとえば、親がわが子を思いやりのある親切な子に育ってほしい、心のあたたかい子になってほしいと願えば、こんな子になってほしいと思う様子が、子どもにたくさん、そして、よくみえるように生活をしていればそれでいいのです。ところが、自分たちではそうしないで、子どもにはそうなってほしいと思うものですから、口でうるさくいわなくてはならないわけです。

私はつねづね思っていますが、子どもというのは、親のいうことはなかなか聞きません。けれども、親のしていることは学ぶし、よくまねをすると思いますね。もし子どもが、私たち親のやっていることはまねしないで、親のいっているとおりにしてくれたら、みんなすばらしい子どもたちになりますよ。もっと極端《きょくたん》な言い方しますと、保育者や先生のやっていることをまねるよりも、保育者や先生のいっているとおりしてくれたら、みんなそれはすばらしい子どもになるだろうと思います。それに育児や

教育はとても楽《らく》になりますね。

ところが、子どもは親のいったとおりにはしないで、親のやっているとおりにやるものですね。そういう傾向《けいこう》のほうが強いわけです。狼《おおかみ》とおなじで、本当は口なんかあまりきかないで、ただお手本を示していれば、みごとな狼《おおかみ》になってくれるわけですし、私たちがこういう子になってほしいと思えば、自分がそのとおりのふるまいさえしていれば、本当はそれだけでいいのです。ところが、これがなかなかできないものですから、その分《ぶん》だけ口でいうわけですね。

でも、基本的には教育というのは、たいていの場合、相手のいうことを聞いていればいいのです。精神科の臨床《りんしょう》もそうです、患者《かんじゃ》さんのいうことをゆっくり聞けばそれでよろしいわけです。みなさんもできるだけ口でやる教育はさけて、心とかしぐさとか物腰《ものごし》、行動で教育をしてくだされば、それはすばらしいことなのです。私も自分をふり返ってみて思いますが、自分でできない分《ぶん》だけ口うるさくなっているのです。口うるさいというのは、そういうことですね。

思いやりはいっしょに喜び、悲しむ気持ち

思いやりという感情は、どういう感情なのでしょうか。人の気持ちに共感する感情であるといってもいいかもしれません。相手を思いやるということについて、聖書の

なかにこういう言葉があるのです。「喜ぶ人といっしょに喜びなさい。悲しむ人といっしょに悲しみなさい」、これはできるようでなかなかできにくいことなのです。

考えようによっては、人の不幸をいっしょに悲しんであげる、人の悲しみをわが事《こと》の悲しみのようにするということは、すこしはできやすいのです。でも、非常に不幸なことには、人の悲しみを喜ぶ人も世《よ》の中《なか》にはいます。しかし、これは論外《ろんがい》です。人の悲しみをわが事《こと》の悲しみに感じる、これはいい意味での同情ですが、しやすいことと思います。ところが、「喜ぶ人といっしょに喜びなさい」というように、人の喜びを自分の喜びのようにできるか、じつはこちらのほうがむずかしいですね。嫉妬《しっと》の感情とか羨望《せんぼう》とか、私たちにはいろんな感情がありまして、むずかしいことがあります。

本当の共感というのは、自分が思ったり感じたりしていることと、ちがうことを相手が感じているとき、その相手の意思や感情を共有体験することです。それは愛の気持ちや感情のもととなる、感性だと思います。

人を愛するということでは、親の子どもにたいする愛情が、人間社会ではいちばん高度な愛情だといわれています。子どもの喜びを自分の喜びにすることができる、子どもの悲しみを自分の悲しみにすることができる、きっと、これは親だから豊かにできるのでしょうね。友達などの場合には、なかなかできにくいことなのかもしれません。

現実には、私たちは喜んでいる人のようには喜べないし、悲しんでいる人のようには悲しめないというところがあると思います。けれども、それにちかづく感情が思い

やりなのです。親友とか本当の友達の場合には、それができる、それができるのが本当の友人だともいえます。だから友達にも、いろんな段階があることがわかります。人の喜びを本当に、その人が喜んでいるように喜んであげる、人の悲しみを、その人が悲しんでいるように、いっしょに悲しんであげられる、こういうことが、いってみれば思いやりであり共感なのです。

おそらく、この共感という感情や感性は、親や親がわりの人から一方的に与《あた》えられることによって芽生えて、本当の友達との関係で磨《みが》き、育ち合うようにして育てられていくものでしょう。

自分が幸せな人ほど、相手を思いやることができる

いままでお話をしてきたように、相手に共感できるようになるというのは、いったいどういうことなのでしょうか、ちょっと考えてみてください。結局、人間は自分が幸せでなければ、こういう感情をもつことはできないのですね。幸せな人ほど、そういう気持ちに比較的《ひかくてき》なりやすい、人の喜びも自分の喜びにすることができるのです。自分が不幸だったら、不幸の程度にもよりますけれど、人の喜びは嫉妬《しっと》の対象になるかもしれません。自分がもっと不幸だと思っていると、人の悲しみが自分の喜びになるなんていうこともありえるのです。ありえるどころか、そういう感情は現代人には

非常に大きいと思います。

人の不幸を楽しんでみるという傾向《けいこう》は、不幸な事件の記事がのった雑誌がよく売れたり、テレビの視聴率《しちょうりつ》をあげることになっているのです。本当は、こんな不幸なことはないと思います。ですから、私たちがまだ、幸せになりきれていないということなのだと思います。自分自身が幸せになれないと、人の喜びを喜ぶことができないし、人の悲しみを自分の悲しみにすることはできません。思いやりというのは、人の喜びが自分の喜びになり、人の悲しみが自分の悲しみになること、そういうことなのです。

そうすると結局、家庭で自分の子どもに思いやりの心を育てようと思えば、親自身が、親戚《しんせき》、近所の人、友人やそのほかの人の喜びを、本当にいっしょに喜ぶことがだいじなことです。そういうときに、大きな喜びに感じてあげられれば、それだけ子どもにも思いやりの心が育つわけです。

同時に、そういう人たちの悲しみや不幸を、いっしょに悲しんであげることができたら、子どもに思いやりがだいじだなんて、口でいう必要なんかはないのですね。ひとこともいう必要はないわけです。その感じ方、共感の仕方《しかた》の程度や頻度《ひんど》にしたがって、子どもの心に思いやりの感情は育っていくのです。思いやりなんていうことは、口でいって、ぴんとくるものではけっしてありませんし、育つものでもありません。

だれかの喜びや悲しみを、子どもの親とか親がわりの保育者とか、みなさんが本当にいっしょになって喜んだり悲しんだりできれば、子どものお手本としてそれでいいわけですね。

じつは、それがなかなかできないのです。それは、自分が不幸だと思ったり、あれこれ不満だらけでいたりすれば、できないことなのですね。それどころか、人の不幸をみて、安心したりすることさえあるのです。そんなふうに子どもが育ってしまったら、その子どもの不幸は、たいへん大きなものだと思います。取り返しがつかないほどです。ですから、人の喜びを本当に喜べる人は、本人が日常的に幸せでなくてはいけないのです。人の悲しみを本当に悲しんであげられる、人の悲しみを、いい気味だなんて思わないでいられるためには、自分が幸せでなければいけないのです。日々の幸せに感謝できるくらいだといいのですね。

自分が幸せであることがだいじ

それでは、幸せというのはどういうことなのか、おなじ条件、おなじ状況《じょうきょう》であっても、幸せに思える人と思えない人がいます。あるいは、おなじことにたいして、感謝のできる人とできない人がいるわけで、これが幸せだということはないのです。

非常に健康で裕福《ゆうふく》でも不幸な人がいるし、体が病虚弱《びょうきょじゃく》であって、経済的に貧しくても幸福な人もいるわけです。ですから、私たちはなにを幸福に感じ、なにを不満で不幸に感じるかというのは、なかなかむずかしいことでして、これは気持ちのもち方の問題です。でも、できることなら、私たちは幸せに感じていたいものです。

幸せというのはどういうことなのかということを、私は自分でもときどき考えますが、「幸せということは感謝ができること」であろうと思います。あるいは、別の言い方をすれば、感謝の気持ちのない幸福というのはないと思うのです。ですから、日常的なとるにたらないようにみえるささいなこと、あるいは、きわめて平凡《へいぼん》なこと、たとえば、ただ無事であることだけにも、感謝できるような気持ちがあれば、その人は幸せでいることが多いでしょうね。そういうことだと思いますね。

たいていの人には、非日常的な大きな喜びや幸福を感じる機会など、そうそうあるものではないと思います。私なんかの場合には、仕事から帰って「お風呂がわいていますよ」と妻からいわれて、「どうもありがとう」と、こういう気持ちです。「ご飯《はん》を先にしますか、お風呂を先にしますか」と問われて、ささやかなことではあっても、ぜいたくなことだなというふうに感じ、そういう用意をしておいてくれた妻に感謝する。あるいは感謝できる状況《じょうきょう》が与《あた》えられていることに幸福を感じる、そういうことなのかなと思います。

現代社会は、ものの生産と消費の量によって文化の水準をはかろうとするような、愚《おろ》かなことをやってきました。すなわち、私たちは、ものと欲望をどんどん生み出すようなしくみに、ほんろうされ続けてきました。そして、いつも欲求不満でいるように操作《そうさ》され続けてきました。満足するとか、感謝するといった気持ちを失い続けてきました。ですから、日常的なささいなことに感謝することは、なかなかできなくなっていると思います。

けれども、この感謝が本当に心からできるかどうかということは、日常的な幸、不幸を決めるうえで、とてもだいじなことだろうと思います。それは自分が幸せでなければ、なかなか感謝ができるものではありませんから。あるいは、感謝ができるから幸せだとか、ニワトリと卵みたいなもので、どちらが先かむずかしい問題です。ただし、そういう気持ちをもつというのは、ある程度、心がけて努力をしなければいけないのではないでしょうか。

なにごともあたりまえに思っているようではいけないのです、たとえば、お風呂なんて、蛇口《じゃぐち》をひねって自動点火のスイッチさえいれておけば、お湯はわくものなのだとか、家にいる者は、それくらいしておくのはあたりまえなのだなんて思っていたら、仕事や外出から帰ってきてからの幸福感も、小さなものになってしまうと思います。

食事だって、毎日あたりまえだと思って食べているのと、用意してくれた人に感謝しながら食べるのとでは、毎日毎日の幸せの程度がちがうことになります。そうなるでしょう。入浴後に下着を取《と》り替《か》えられること、そのほか毎日毎日、単調にくり返しているようにみえることでも、そのことにたいして、私の場合でしたら、妻のたいへんな努力があるのです。そういうことは、私や子どもたちにたいする気づかいとか、思いやりがあるからできることなのです、これらはわずかなささやかな例ですが、毎日の生活のなかで、そのように単調にくり返されることにたいして、どれだけ新鮮《しんせん》な気持ちで感謝ができるのか、喜びを感じることができるのかということが、とてもだいじなことのように思うのです。

幸せということは、物事《ものごと》に感謝できる、そういう喜びをもつということですが、まず自分自身が幸せでなければ、子どもを幸せにすることなんかできないのですね。幸福な人に育てられないで、子どもが幸福になるなんてことは、ありえないと思います。ですから、子どもを育てることが喜びであり、幸せであるという人に育てられる子どもは、本当に幸せだと思います。

保育園の保母さんは、本来、そういう人たちだと思います、そういう仕事を職業として選んだのですから。そして母親になることを決意することも、おなじことだと思います。そして、さらに父親は、母親がそういう気持ちで育児ができるように、いろんな援助《えんじょ》や役割を果たすことに喜びを感じられることが、本来の父親だと思います。その場合の役割や援助《えんじょ》の内容は、それぞれの夫婦が協調的に、自然に合意していればいいのです。

こうでなければいけないという形はないかもしれませんが、私は子どもが幼いときほど、母親の直接的役割が大きくて、父親の役割は、妻である母親へは直接的であっても、子どもにたいしては間接的なものが多いのが自然であると思います。長い間、多くの幼い子どもたちと出会い、観察してみて、本当にそう思うのです。

幸せな人、思いやりのある人、感謝のできる人、ほかの人に共感できる人、人の喜びを喜び、人の悲しみに悲しんであげられる、そういう人たちのそばに子どもがいられるということは、大きな幸福でしょう。

ですから、みなさんがそういうふうに、すこしずつ心がける必要があります。日常

生活のすごし方、あるいはいろんな物事《ものごと》に直面したときの感じ方などです。そういうふうに感性を豊かにされることは、とてもたいせつなことのように思うのです。

子ども同士の
遊びのなかで
生まれるもの

子どもにとって遊びがたいせつだということは、どなたも知っていらっしゃると思います。とくに、幼児期の子どもたちを育てていらっしゃるみなさんは、もう十分承知《しょうち》していらっしゃると思います。けれども、なぜ、どのようにたいせつなのかということについては、なかなか知らないことがあると思います。

そのことについてですが、ソビエト（現在のロシア）の心理学者であり、発達学者であるヴィゴツキーという人の研究書のなかに、子どもの遊びの意味についての、みごとな発見を読み取ることができます。日本では、ロシア語の文献《ぶんけん》は比《ひ》較的《かくてき》紹介《しょうかい》されにくくて、ヴィゴツキーの名前は知っていても、中身はまだという方もいらっしゃるでしょう。私自身はロシア語は読めませんから、英訳された本から読んだものです。ロシア語そのものを読むよりは、すこし理解がとおいかもしれません。しかし、私はこの彼の業績に、非常に感動いたしました。

ここでは、ヴィゴツキーのいっていることを基礎《きそ》としながら、子どもたちが仲間同士の遊びのなかから、いろんな社会的な約束事をつくっていくことのすばらしさについて、お話をしていきたいと思います。

遊びのなかで自分をみつける

子どもたちは、仲間といっしょに遊べるようになると、まずルールをつくる、かな

らず規則をつくります。そして、その規則を守れる子どもだけが、原則として遊びに参加する資格がある、子どもたちのいろんな遊びをみているとそう思います。そして、つぎに役割を分担し合う、どんな遊びにもまったくおなじ役割というものはなくて、みんなにそれぞれの役割があるのです。さらに、それぞれがなにかの役割をするときには、自分はこの役割をやるぞということで、仲間の承認《しょうにん》を得なければなりません。仲間の承認《しょうにん》を得て、はじめてその役割を演じることになるわけです。

みんなで規則をつくり、規則を守り、仲間の承認《しょうにん》を得てから役割を演じ、そして、みんながその役割にともなう責任を果たし合う。そうすることが遊びなのです。そして、自分の行動が、みんなから期待されている行動になっているのかどうかということも、子どもたちは自分で自分をチェックしながら、その範囲《はんい》で自分が思いきりやりたいことを、やりたいようにふるまうのです。子どもは、仲間といっしょに遊ぶということは、自分がやりたいことはなにか、しかし、どこまでは抑制《よくせい》しなければいけないのか、がまんしなければいけないのか、制限しなければいけないのかということも、ちゃんとわきまえることであるということを知っているのです。

子どもたちは遊びのなかで、そういう機能や能力を身につけていくのです。しかも、そういう力を習得していく過程が、遊びの喜びでもあるのです。大人の場合は、魚釣《つ》りやゴルフの腕前《うでまえ》が上達していくプロセスが楽しい、というようなことでしょうか。

ですから、遊びのなかで規則がきびしくなればなるほど、役割が困難になればなるほど、遊びは緊張《きんちょう》に満ちてきます。しかし、この緊張《きんちょう》の大きさが遊びの感動の大きさ

に比例《ひれい》するのです。だから、緊張《きんちょう》のない遊びというのは感動も小さい、あるいは感動もない、遊びというのはそういうものなのだということです。

ヴィゴツキーが結論的にいっていることは、「おそらく、人間が成長していく過程で、倫理観《りんりかん》とか、道徳観とか、社会的な役割とかいう、社会的な人格を成長させていくプロセスには、幼児期から小学校の低学年にかけてのこういう遊びは、不可欠な要件だろう」と、こういうことではないかと思います。

ようするに、本来、子どもたちの遊びというものは、まずみんなで規則をつくり合う、そしてその規則を守り合う、参加するものがそれぞれの役割を、仲間の承認《しょうにん》を得て分担し合う、その役割にともなう責任を果たし合う、そのなかであふれるばかりの感動を分かち合う、共有し合う、遊びとはそういうものですね。こういう仲間との遊びの体験をしっかりと積み重ねることなしに、社会的ルールを守れるような健全な人格は、育たないであろうということを、ヴィゴツキーの研究はいっていると思います。

子どもたちは遊びのルールをつくる

たとえば、幼い子どもが二人で砂場で遊んでいる。川をほり、山をつくり、トンネルをほっている、こういう遊びをしている場面だって、ちょっとみてごらんなさい。僕は川をほる、君は山をつくりなさいというふうに、ちゃんと役割を分担し合ってい

るのですから。
山ができたからトンネルをほろう、僕はこっちからほっていくから、君はそっちからほっておいで、この高さでほっていくとつながるんだよ、いそいでほると山がくずれるかもしれないから、用心してゆっくりほるんだよと、言葉で言い合うか、あるいは暗黙《あんもく》の了解《りょうかい》であるかは別として、ちゃんと二人で目配《めくば》せをし、気配《きくば》りをしながらルールをつくり、ルールを守り合い、約束し合って遊んでいるのです、子どもというのは、遊ぶときにはかならず遊びのルールをつくるというわけです。
ロシア語でどういうのか知りませんが、ある姉妹《しまい》が、いまから、お姉さん妹ごっこをしよう、そうしましょうと二人がいった。すると急に、お姉さんは模範的《もはんてき》なお姉さんを演じはじめ、妹はおそらく、親やまわりの人が期待しているであろう女の子を、演じはじめたというわけです。そして、それまで遊んでいたふだんの二人の姿とはおよそちがったお姉さんなり、妹なりに、なりきって遊びはじめたのです。緊張《きんちょう》があったし、ある種の感動はあったけれども、二人ともよそいきの動作をしているわけですから、途中《とちゅう》でくたびれてしまいました。
それで、もうくたびれたからやめようということになったのです。お姉さん妹ごっこ遊びが終わったあとは、ごく自然にもとどおりの姉妹《しまい》に戻《もど》って遊んでいた、こういうわけです。お姉さん妹ごっこをしようとしたときには、おたがいに暗黙《あんもく》の了解《りょうかい》があって、お姉さんはよりお姉さんらしく、妹はより妹らしく、家族が期待しているような、あるいは社会や先生が期待しているような、年齢《ねんれい》相応の女の子たちを演じたの

でしょう。遊びというのはそういうものなのです。おたがいにおたがいを制約し合い、おたがいに役割を演じ合い、規則を守り合い、そしてしかも楽しくということで遊んでいるわけです。

このようにルールのある遊びには、うんと幼い子どもはルールを守れないし、ルールづくりに参加できないから、いっしょに遊ぶのはむずかしいかもしれません。けれども、子どもたちは幼い子にたいしても、特別な除外規定をつくったりして、いっしょに遊ぶことをくふうするのですね。

もう君は大きくなったのだから、このルールを守って、このなかに入って遊んでもいいよということを、ある年齢《ねんれい》になったら年上の子からいわれて遊んでいくのです。こういう遊びを経験することが、社会的人格、ルール違反《いはん》をしないで社会生活をすることができる人格をつくるために、決定的にだいじだということをヴィゴツキーはいっているのです。この研究は本当にすばらしいものだと私は思いました。

子どもたちの電車ごっこ遊び

ヴィゴツキーの研究書のその部分を私なりにまとめてご紹介《しょうかい》します。

子どもたちがある町の郊外《こうがい》で、十数人集まって遊んでいた。いちばん大きな子でも、もうすぐ学校という年齢《ねんれい》で、学校へ入っている子はまだだれもいなかった。学齢《がくれい》の子

どもたちはちょうど学校のある時間なので、みんな学校へいっている。やがて帰ってきて、みんなの遊びに合流するかもしれないけれども、いまはまだ学校に入る前の子どもたちだけで遊んでいた。

綱《つな》で輪をつくって電車ごっこをしようということになった。これは世界共通の遊びですね。ヴィゴツキーの共同研究者たちが、子どもの遊びを遠《とお》まきに観察してみていますと、そのなかの、仮にAと彼らが名づけた子どもが、「僕が運転手をやる」といった。みんなが一瞬《いっしゅん》、A君のほうをみたけれども、A君が運転手になることを納得《なっとく》して承認《しょうにん》した。A君はどうもリーダー格の子どものようで、みているとみんなから、一目《いちもく》も二目《にもく》もおかれている存在にみえたそうです。それで、A君が運転手をやることはすぐに決まったというわけです。

そうしましたら、すぐにこんどはBという子が、「それなら僕が車掌《しゃしょう》をやる」といった。またみんなが、B君のほうをいっせいにみた。ところが、こんどはCという子が、「僕も車掌《しゃしょう》をやりたい」といったというのです。

A君のときにはだれも対抗馬《たいこうば》がでなかった、競争相手がでなかったけれども、B君が車掌《しゃしょう》をやりたいといったときには、Cという子どもが僕も車掌《しゃしょう》をやりたいといった。そうしたら、Dという子までも、みんなをみながら、「僕も車掌《しゃしょう》をやりたい」と名乗りでたというわけです。A君のときとちがって競争相手がでてきた、BとCとDと三人で車掌《しゃしょう》をきそいあったそうです。

だれがいちばん適任かということで、すこし子どもたちのなかで議論になったよう

だった。すぐちかくで大人の研究者たちが観察しているのが、子どもたちに気づかれますと、子どもの自然な遊びが不自然になってしまいます。それで、子どもたちに気づかれないように遠くのほうで、大人たちは立ち話をしているようなそぶりで、聞き耳をたてながら観察していたそうです。

「だれがいい、あの子がいい」などと議論をしているようだったけれども、結局、決まりそうもなかった。すると、なかのだれかが、くじを引いたらいい、というようなことをいったようだった。それがいいということになって、くじをつくった。そうして三人でくじを引いたら、最初に車掌《しゃしょう》をやるといったB君がくじを引き当てて、それでA君が運転手になり、B君が車掌《しゃしょう》になることが決まったのです。

するとこんどは、Cという子が、「それなら僕は駅長をやってもいいか」とみんなに聞いた。それでいいということになったのだけれど、最初に運転手をやるといったA君が、やや不服そうな表情をして、「みんなに聞くけど、運転手と駅長はいったいどっちがえらいと思う」と、こう聞いたというわけです。子どもたちは口ぐちに、それぞれが「運転手がえらい」とか、「駅長がえらい」とか、僕はこう思うとかと言い合っているようだった。なかには、明らかにA君にこびを売るように、「そりゃ運転手のほうが、えらいに決まっている」という子もいたそうです。

子どもたちは、それぞれ自分のおかれた状況《じょうきょう》で、どういう立場をとるか、どういう発言をするかによって、自分がどういう位置を得るか、いってみれば、自分の分《ぶん》というものを集団のなかでわきまえ、心得《こころえ》、判断して、それぞれがいろんなことをいって

いました。

A君が運転手といったときには、だれも対抗馬《たいこうば》がでなかった。B君が車掌《しゃしょう》になりたいといったときには、C君とD君が対抗馬《たいこうば》になったけれども、それ以外の子が車掌《しゃしょう》になりたいとはいわなかった。そしていろんな問題がでてきたときに、こんどはくじを引いたほうがいいといった子もいた。運転手と駅長ではどっちがえらいかという議論になったときに、僕はこう思う、ああ思うと、自由にいう子もいたし、A君を応援《おうえん》する子もいた。それぞれいろんな子がいたというわけです。

さらにみていたら、運転手にも車掌《しゃしょう》にも駅長にもなれなかったD君が、「僕はつまらないからお家に帰る」といったそうです。そうしたら、みんなで電車ごっこしようと雰囲気《ふんいき》がもりあがっていたのに、騒然《そうぜん》となって、一瞬《いっしゅん》、気勢《きせい》をそがれたような、なんともしらけた雰囲気《ふんいき》になって、子どもたちは一生懸命《けんめい》、D君を引き止めにかかった。「家に帰るのよそうよ、遊ぼう、遊ぼう」と引き止めた。一生懸命《けんめい》みんなが引き止めていたのですが、とうとうD君はみんなの制止をふりきって、家へ走って帰ってしまったのだそうです。

そうしたら、いっそうその場の雰囲気《ふんいき》は沈滞《ちんたい》して、なにか急に腰《こし》を割《わ》られたような、しらけたような雰囲気《ふんいき》になって、すぐに電車ごっこがはじまろうとしないような、なんともいやな気持ちになってしまったというわけです。研究者たちには、そういうふうにみえたということです。

そうしたらたまりかねたように、しばらくしてある子どもが、「Dちゃんをやっぱ

りむかえにいこう」といったのです。「そうだ、そうだ」と同調する子も何人かいた。ところが、「そんなことしたってむだだ」、あんなに一生懸命《けんめい》みんなが引き止めたのに残らなかった子が、「みんなでよびにいったってくるはずないよ」と、よびにいってもだめだという子がいた。「それもそうだ」という子もいた。それじゃ、どうしようということになったそうです。

けれども、おもしろいことには、D君がいなくたっていいから、電車ごっこをはじめようという雰囲気《ふんいき》には、どうしてもならなかったというわけです。どうしようかというような、手づまりな、気づまりな雰囲気《ふんいき》が、その場を支配したようでした。

ところが、そう時間がたたないうちに、帰ったはずのD君が、こんどはにこにこして、向こうから大声をはりあげながら、走ってやってくるのがみえた。それをみて、みんなはほっとしたようだった。ああよかったというような雰囲気《ふんいき》が、その場にみなぎったそうです。その町の子どもたちの日常の様子が、なんとなくわかるようですね。

D君はちかづいてくるなり、紙袋《かみぶくろ》をみせびらかすようにみんなにみせて、「僕はこのなかにお母さんがつくってくれたクッキーを、いっぱいもっているんだ。だから、僕はレストランをやるんだ」と、こういったというのです。そして、続けて「運転手や車掌《しゃしょう》や駅長さんは仕事があるから、レストランなんかにきちゃだめだ」と、こういったというのです。そうしたら、こんどは、また大さわぎになって、「それはずるい」とか、「そんなことない」とか、わいわい、がやがや、たいへんエキサイティングな状況《じょうきょう》になったそうです。

ところが、子どもたちのなかで、だれかがぽつんと、「運転手だって車掌《しゃしょう》だって駅長だって、非番のときには、レストランにいってもいいんだ」と、こういったというのです。もっともらしいことをいう子がいるものですね。「そうだ」ということになったけれども、非番のときにはかわりの運転手が必要だ、車掌《しゃしょう》が必要だ、駅長も必要だということになって、それでかわりの運転手をつくり、車掌《しゃしょう》をつくり、駅長をつくったそうです。

これで大丈夫《だいじょうぶ》だ、これで電車ごっこがはじまりそうだとヴィゴツキーの共同研究者たちは思ったのですが、すぐにはじまらない。なんとなく変だと思ってみていたら、子どもたちはなにかに気がついたそうです。うっかり電車なんかにのってられない、電車なんかにのってひとまわりしているうちに、残った乗客がレストランに殺到《さっとう》しちゃったらたいへんだというふうに、明らかに子どもたちみんなが思っているようでした。それで電車を走らそうとしないし、のろうともしない、なんとなくもじもじしておかしい様子だったそうです。

そうこうするうちに、たまりかねたようにある子どもが、「クッキーを配給《はいきゅう》にしてくれ」と、こういったというのです。そして「それがいい」ということになった。当時のソビエトの子どもたちには、配給《はいきゅう》というのは、ある意味では日常的なことで、だれもが知っていることかもしれませんね。日本の子どもたちには、きっとわからないことです。それは別にたいした知恵ではなくて、日常的なことなのでしょう。

それで、配給《はいきゅう》を公平にするために、ひとりにいくつ、いきわたるか数えなくてはい

けない。ところが、子どもたちは学校へまだ入ってないので算数ができない、まして割り算なんかできないのです。すると、ちょっと知恵のありそうな子どもがひとりでてきて「みんなここに並べ」といった。子どもたちを目の前に並べてクッキーを袋《ふくろ》からだして、「これは何ちゃんの分《ぶん》、何ちゃんの分《ぶん》」というふうに、顔をみながら、ひとつずつ並んだ順にクッキーを合わせていくわけです。

そうしたら、お母さんの手づくりの、本当に小さなクッキーがふたまわりして、ほんのすこし、あまりそうだということがわかった。ということは、ひとりに二個は確実にもらえるということが、子どもたちにもわかるわけですね。また、いくつかあまるということもわかった。クッキーがいくつかあまるのを一生懸命《けんめい》みて、そのことを気にしている子がいるのでしょう。すると、A君が、「あまったクッキーは、小さい子から順番にもらえばいい」と、こういったというのです。ここらあたりが、リーダーたる資質があるゆえんですね。こういわれちゃうとジャンケンでもらおうなんて、いえなくなってしまうわけです。このあたりが知恵者であり、リーダー格になる素質かもしれません。ぽっと、こういう考えがでるわけです。そして、A君のいうとおりにしようということになったそうです。

それで、いよいよ電車ごっこがはじまろうとした。配給《はいきゅう》チケットの紙をみんなに二枚ずつくばって、そのチケットをもっていけば、レストランで一枚で一個クッキーがもらえる。だから、電車にのっていようとなにしていようと、配給《はいきゅう》ですから、このチケットをもっている間は、自分のクッキーは確保されるわけです。それで子どもたち

は、安心して電車にのろうとした。

ところが、そこでもうひとつ、おもしろいことがおきたのです。乗客を演じるそのほかのおおぜいの子どもたちは、だれひとりとして、子どものままで乗客になろうとはしなかった。最初の子どもは、「僕は宇宙飛行士だ」とさけんだ、それはどういうことを意味するのかというと、僕はいつもは宇宙飛行士なんだけれども、きょうは非番なので電車にのるのだと、こういうわけです。

そうしたら、子どもたちは口ぐちに、「消防士だ」とか、「動物園の園長さんだ」とか、ひとりずつさけびはじめて、自分はどういう身分の人間なのだということを、仲間に承認《しょうにん》を得たというわけです。なかには、「僕は僕のお父さんだぞ」といった子がいた。これは親が聞いたら泣いて喜ぶでしょうね。ようするに、子どもは大きくなったらどんな大人になりたいか、ということをいっているわけです。ですから、子どもが「宇宙飛行士だ」なんていっているより、「僕のお父さんだ」といってくれたほうが、親からみれば親冥利《みょうり》につきることですね。子どもたちはみんな、口ぐちに、自分は将来どういう大人になりたいか、そういうことを宣言し合っているのですね。そして、やっと電車が走りはじめたそうです。

ここまでの遊びの様子は、ヴィゴツキーの共同研究者たちが、淡々《たんたん》とありのままを、じつにみごとに描写《びょうしゃ》しているのです。そしてその後も、こういう子どもの遊びの情景をたくさん観察して、記録にとって、そして分析しているのです。

これほどみごとな遊びは、現在の日本の子どもたちはおそらくできないと思います。

しかも、学校へ入っている子はだれもいない。ヴィゴツキーたちも報告していますが、この子たちは、この遊びの知恵を子どもたちだけで考えだしたのではなくて、年上の子どもたちと日ごろ遊ぶことによって、教えられている部分もいっぱいあるといっています。幼児期の子ども、学齢《がくれい》前の子どもたちの知恵だけで、これだけ遊べるとは思えないのです。やがて、彼らのお兄さん、お姉さんが学校から帰ってきて、合流して遊んで、こんどはより高度な遊びを教えられていくのだろうということをいっていきます。日ごろから年上の子どもたちと遊んでいると、学校へいく前のいろんな年齢《ねんれい》の子どもたちだけが集まっても、これだけの遊びができるのだということです。

わが国でも三、四十年前までは、さまざまな年齢《ねんれい》の子どもたちが、原っぱや路地などでいっしょに遊んでいた光景を思い出します。きっとそのころは、子ども同士で遊びのルールをつくりながら、わいわい、がやがや、遊んでいたと思うのです。しかし、現代はすっかり変わってしまいましたから、こんな遊び方はできないでしょうね。そういう練習が小さいころからできていないから、小学校へ入っても、友達はできにくいし、ルールを守り合う人間関係もできないし、ということにもなるのではないでしょうか。

子どもにとってたいせつなことは、勉強の前に、友達と遊ぶことが十分にできるようになっていなければ、結局、社会人になっていけないということです。このことを大人はよく認識《にんしき》しないといけないことなのです。

友達と学び合う時期

保育園、幼稚園を卒園するまでに、やっておかなければならないことというか、卒園の資格というものがあるとすれば、それは仲間といっしょに楽しく遊べること、ひとりで遊ぶよりは仲間と遊んだほうが何倍も楽しいという習慣、いわば、そういう能力を子どもが身につけることだと思います。そういう感情、感性、機能、能力を身につけること、それが卒園の基本的な資格だと思います。

そして、子どもはひとりで育つのではなく、仲間と育ち合うということを知ることが、こんどは親や家族にとっての卒園の資格です。ですから、自分の子どもがちゃんと育っているということは、自分の子どもといっしょに、育ち合ってくれる子どもたちがたくさんいることなのです。こういうことにたいする認識《にんしき》と感謝を親がもつことが、保育園、幼稚園を終えるにあたっての必要な条件なのです。

仲間といっしょに楽しく遊んだという体験、それが欠けていたらほかになにができたって、小さな必要条件は満たしたかもしれませんが、十分な条件は満たしていないことだと思います。その条件を十分に満たしておかないと、その後、社会的に生きていくためには、子どもはそのすませていないことを、何歳になってもやらなくてはいけないことになるのです。

自立の準備のできていない若者たち

保育園や幼稚園のときに、仲間といっしょに十分遊べなかった子どもは、乳幼児期にやり残したことを、大きくなってから、思春期、青年期になってからでも取《と》り戻《もど》そうとします。そのことの変形したあらわれが、仲間との暴走とか、ブランド商品へのあこがれや、携帯《けいたい》電話によるコミュニケーションになるでしょうし、きわめて親しい人以外の人との関係が、不安や苦痛になるというパーソナリティの人たちのなかに、多くみられるということだと思います。

ボーダーライン・パーソナリティとか、モラトリアムとか、拒食《きょしょく》や過食の摂食《せっしょく》障害、さまざまなタイプの依存症《いぞんしょう》やひきこもり、援助《えんじょ》交際をする若者たちも、その多くは人との関係へのおそれや拒絶《きょぜつ》の変形したものだと思います。

たまたま、私はこちらにうかがう前に、有隣堂《ゆうりんどう》という本屋に寄ってまいりました。こうやっていくつかの本を衝動《しょうどう》買いしてしまいましたが、『成熟《せいじゅく》できない若者たち』とか、『成熟拒否症《せいじゅくきょひしょう》』なんていう、精神科医の本がいくつも並んでいました。青年が成熟《せいじゅく》できないのです、現代はそういう時代なのです。『モラトリアム人間の時代』という本もありました、あるいは『モラトリアム』という本もありました。ようするに、青年や若者たちが成熟《せいじゅく》できないで、苦悩《くのう》しているという本なのです。

成熟《せいじゅく》とは社会的人間になるための、いわば社会的人格の成熟《せいじゅく》のことです。社会性というのは人間との関係性のことであり、同時に、人間が相互《そうご》に協力し合ってつくりあ

げてきたルールなどを、守り合うという能力などもふくんでいます。そういうものを成熟《せいじゅく》というのです。

成熟《せいじゅく》できない若者たちは、基本的に、なにが問題なのかというと、自立への土台が弱いとか、不十分だとかいうことでしょう。それは、乳幼児期の依存《いぞん》体験がたりなかったからです。依存《いぞん》体験の不足というのは、忍耐《にんたい》づよく自分の要求を満たしてくれる親とか保育者に、十分めぐり会えなかったということです。

自分の要求を十分に受け入れてくれる、あるいは、自分が望んだように愛してくれる親や保育者に恵《めぐ》まれた子どもが、はじめて本格的な自立へのスタートをきることができるわけなのです。

自分さがしの旅にでる若者がいます。そういう若者に、何人も出会ってきました。彼らによく話を聞いてみると、彼らはみんな、自分が依存《いぞん》できるものを求めてさまようのです。その対象は自然であったり、宗教や思想や、特別な教義《きょうぎ》をもった人などだったりしますが、依存《いぞん》を求めて旅にでるのです。オウム真理教の若者たちも、そういうことだったと思います。ある教会の牧師さんからの依頼《いらい》で、三人のオウム真理教の青年に会いましたが、本当にそういうことだと思います。

乳児期の子どもにとってたいせつなことは、人を信頼《しんらい》できることです。そのためには、自分の望みを、親やまわりの人から、十分に満たしてもらえたという実感が必要なのです。そのことが、人を信頼《しんらい》できる感性を育《はぐく》むことになり、そして、自分自身を信じることができることにつながるわけです。

幼児期のはじめには、親や保育者からのしつけをとおして、自分の衝動《しょうどう》や感情を、自分でコントロールすることができるようになってきます。自分で自分のことを、律《りっ》することができるようになると、幼児期の後半には、自分からいろんなことをやってみたいという意欲がでてきます。自発性とか、主体性の確立といいます。

このような子どもの発達にそって、その時期、その時期にやっておくこと、テーマというか、課題にどう取り組んでいくかについては、いろんな例をあげてお話をしてまいりました。それでここでは、小学校時代に子どもたちが習得しておかなくてはならないこと、あるいは、この時期の発達の課題とはなにかを、お話をしていきたいと思っております。

小学校の時期にだいじなこと

親や保育者に十分に愛されて、人を信頼《しんらい》し自分を信じることができ、自分で自分の感情や衝動《しょうどう》をしっかりコントロールでき、自分の気持ちを自分で決断できるような機能を身につけ、個人差はあっても、年齢《ねんれい》相応に主体的な行動ができるように、いわば、社会的自立への準備ができた子どもが、小学校時代の数年間に習得すべき、もっともだいじなことはどういうことかについて、考えてみようと思います。

エリクソンは、公教育がはじまって最初の数年の間に、その子どもが将来、勤勉に

生きていくための基盤《きばん》ができるということを示唆《しさ》して、こういうことをいっています。人間がそれぞれ与《あた》えられた社会のなかで、勤勉に生きていくということは、それぞれの社会が、長い年月をかけてつくりあげてきた文化を、社会の構成員同士で、たがいに分かち合うことに誇《ほこ》りをいだき合うということだ、そしてその感情の基盤《きばん》は、小学校時代に育てられなければならないというのです。

子どもたちにとっては、自分たちが住んでいる時代や地域によって、文化の内容や質はまったくちがうわけです。ですから、その時代に、その社会で重要視されている道具や知識や生活体験を、仲間と共有し合わなければいけない。この経験なしには、子どもたちが勤勉な社会的人格を、成熟《せいじゅく》させていくことはできないのだといっているのです。これは、じつにみごとな気づきであり指摘《してき》なのです。

道具や知識や生活体験を、仲間と共有し合うことで、子どもは社会的に勤勉な活動ができるような機能を発達させ、成熟《せいじゅく》させていくのです。そして、勤勉性というのは、まわりの人から、社会から期待されていることにたいして、自発的に、しかも習慣的に行動できることなのです。まわりの人から強制されたりするのではなく、自分から自発的に行動できる、しかも、やったりやらなかったりということではなくて、社会から期待される活動を、習慣的に取り組むことができるというのが、勤勉性の意味だと思います。このような課題を習得していかなければ、つぎの発達段階にすすんでいけないのです、社会的な人格を成熟《せいじゅく》させていけないものなのです。

確かに、知識をふやすだけなら、大人から学ぶことだけでも十分です。ところが、

社会人になるための、社会的な人格を形成していくプロセスのなかで、発達や成熟《せいじゅく》ということを考えたときには、友達から与《あた》えられなければならないもの、友達に与《あた》えなければならないものが、決定的な意味をもっているということです。

友達からものを学べない子どもや、友達にものを教えることができない子どもは、けっして社会的に成熟《せいじゅく》していきません。いわば、成熟拒否《せいじゅくきょひ》、あるいは成熟停止《せいじゅく》の状態になるということでしょう。

友達と多くのことを学び合うたいせつさ

みなさん、自分になぞらえて考えればすぐにわかりますよ。なにか稽古事《けいこごと》に通《かよ》いました、それで社会的な意味での人格が変わるかといいますと、これは簡単には変わりません。しかし、自分のもっているものを、親しい友人に分かち与《あた》えれば、その友人との関係や経験をとおして、これは変わるのですね。仲間から分けてもらえれば、これも変わるかもしれません。社会的な人間関係や、コミュニケーション能力の発達や成熟《せいじゅく》ということにつながっていくことでしょう。それが身につく小学校時代が、もっとも感受性豊かでたいせつな時期だということです。

そして、そういう経験を積み重ねていく過程でしか、人間は勤勉にはなれない、エリクソンはそういうふうにいっているのです。今日《こんにち》のわが国の子どもや若者のことを

考えますと、こういうエリクソンの臨床研究《りんしょう》はたいへん示唆《しさ》に富んだ、すごい指摘《してき》をしてくれていると思うのです。

人間の社会的な勤勉性の基盤《きばん》は、友達から学ぶこと、友達に教えることによって育つものなのです。そして、さらに重要なことは内容で、それは「質よりは量」がたいせつだということです。大人の頭や価値観で考えるような、りっぱなことを学ばなければならないということではないのです。大人がみて感心するようなことばかりを仲間から学んできたり、仲間に教えたりすることだけに価値があるのではなくて、友達からどれだけたくさんのことを教えられ、友達にどれだけ多くのことを教えることができるかという、量がだいじだというのです。

たとえば、昆虫の飼い方だとか、魚の釣《つ》り方だとか、竹馬の乗り方だとか、サッカーボールのけり方だとか、そういうことでいいのです。もちろん、算数の問題の解《と》き方だとか、そのほかの勉強だっていいわけですね。それは非常にすぐれたものであることはまちがいありません。けれども、なによりも量がたりなければ、質はよくてもだめだということなのです。

小学校時代にたいせつなことは、親や先生や、そのほかの大人からものを学ぶだけではなく、それ以上にたいせつなことは、友達からものを学ぶことなのです。友達にものを教えることなのです。友達との会話のなかに入っていくことなのです。友達と遊びやサークルなどの活動に熱中することなのです。

けれども、これは簡単なことかというと、現代っ子にはなかなかむずかしいのです。

かつての子どもには、とても容易《ようい》なことだったのですが、現代の子どもにはたいへん困難なことになっているのです。子どもが仲間との活動に夢中になれないなんて、こんな不幸なことはありません。友達をとおして、人を信じる感情や自分を信じる機能を、大きくしていくことができないのですから。人との関係のなかで、社会的機能を果たしていくことができなくなるし、社会からひきこもってしまうことにもなってしまいます。

大人からは学べても、それだけでは友達には教えられないのです。極端《きょくたん》な言い方をしますと、友達の会話のなかに入っていけない、生き生きと会話に参加できない、会話をもりあげるような発想がでてこないのです。言葉もでてこない、感情も表情もわきでてこないのです。知識はもっているのです、勉強もできるのです、けれども、心の働きがおこらない子どもが、今日《こんにち》では、たくさんいます。

休み時間に仲間との会話のなかに入っていけない、あるいは、自分が参加することによって、その場をさらにもりあげるということを、どうしてもできないという子どもは、けっしてめずらしくないことなのです。

友達が多いほど健全に育つ

非常に極端《きょくたん》な言い方をしますと、親がなくても健全に育った人は、世《よ》の中《なか》におおぜいいることでしょう。不幸にして親に恵《めぐ》まれなかった人、昔でいえば産後《さんご》の肥立《ひだ》ちが悪くて、お母さんが子どもを産んでまもなく、亡《な》くなってしまったとか、幼いときに親と別れた子どもたちは、たくさんいます。両親を失った子どももいることでしょう。そういう子どもたちが、みんな、ちゃんと育たないかというと、そんなことはありません。

親の重要さは、非常に大きなものがありますが、親がわりの人がいてくれれば、親でなくてもいいわけなのです。ですから、親がいなくても、健全にりっぱに育った人は、世《よ》の中《なか》にいっぱいいいます、しかし、友達なしに、社会人として健全に育った人は、なかなかいないのではないでしょうか。

親か友達か、どちらかを選ばなくてはならないとなったら、極端《きょくたん》な言い方をしますと、親を捨ててでも、友達を選ばざるをえないわけです。それほど友達の存在は重要なのです。そして、思春期になれば、若者の気持ちは親のほうは向いておりません、仲間のほうを向いているのです。これがむしろ、思春期の若者の健全な生き方なのです。

そういう意味で、小学校時代の交友《こうゆう》関係は質より、むしろ量がたいせつなのです。ですから、友達は多いほど社会性の成熟《せいじゅく》が順調にいきます。いろんな仲間といろんな

話題で、いろんな活動で、コミュニケーションできる子どもは、それだけ生き生きとして健康です。休み時間のおしゃべりはこういう仲間、放課後のサッカーはどういう仲間というように、いろんなところで生き生きしている子どもは、多様な仲間と友達になっています。

小学校時代の健康な子どもたちは、転校してもすぐその日のうちに友達をつくれる、いろんな相手と友達になれる、どのような友達にでも、柔軟《じゅうなん》に波長《はちょう》を合わせることができるのです。小学校時代の子どもというのは、自然に育っていれば、本来そういうものですね。

今日《こんにち》では、大人が寄ってたかって人工的に手を加えて、子どもの心を不自然にしてしまったのです。けれども小学校時代には、友達とたがいに、あまり深くはつきあえないのです。それがだんだん思春期になって、かぎられた友人との関係が深まっていって、別の関係になっていくのです。

小学校時代にはできるだけ多くの仲間と、理想をいえば、どんな子どもとでも友達になれる、おしゃべりができる、いっしょに活動ができるというのが幸せなのです。友人関係をいっぱいもつというのは、結果として広く、浅くなるのですが、小学校時代の子どもには、それがいちばん健康なことなのです。

不登校について

神奈川県に不登校の子どもへの対策研究協議会というのがありまして、私はその座長をしていました。そこで、いろんな研究や討議を重ねてきました。そして、おおぜいの専門家たちや、不登校の子どもと、その家族の人たちとの会議を重ねてきまして、多くのことを教えられ学びました。そうしながら、自分でも、自分の臨床《りんしょう》経験でのいろんなことを考えてきました。

不登校といいましても、いろんなタイプの子どもがいます。一般《いっぱん》に、不登校の子どもたちは、勉強がきらいだから登校拒否《きょひ》になるというのでは、まったくないのですね。勉強がきらいで登校拒否《きょひ》になるのだったら、ほとんどの子どもが、登校拒否《きょひ》になりますよ。勉強の好きな子なんて、めったにいるものではないのですから。けれども、現在大人になっている人たちはみんな、学校はそこそこ好きだったのです。

私の経験でも、学校はおもしろかったと思います。勉強はけっして好きではなかったのです。勉強がおもしろかったという記憶《きおく》は、ほとんどないのです。けれども、学校へいくのは楽しかったのです。とくに、授業以外の時間に、友達と遊ぶのがおもしろかったのです。そして、ひきつづいて放課後まで楽しかったですね。毎日、暗くなるまでの、仲間たちとの遊びの生活が楽しかったのですね。

ところが、不登校の子どもたちは、おしなべて、勉強は比較的《ひかくてき》できます。しかし、不登校の子どもたちは、たいてい友達からものを学べません。友達と生き生き楽しく

ができない子どももいます。自分の知っていることを、友達に教える経験もない、あるいは不足している子どもたちです。大人からなら、たくさん学んでいる子どもはいるのです、だから、不登校の子どもたちのなかには秀才もおおぜいいます。

先生から、お師匠《ししょう》さんから稽古事《けいこごと》を習う、スポーツクラブのコーチや監督《かんとく》からスポーツを学ぶ、スイミングスクールのコーチから水泳を習う、ピアノの先生、エレクトーンの先生から楽器の演奏《えんそう》を習う、塾《じゅく》の先生から勉強を習う、これはこれで、みんな価値の高いことです。価値がないというのではないのです。けれども、それらのものは、いくら身につけても知識や技術がふえるだけで、社会的な人間関係の場で、安心して生きていくことができるような、人格の成熟《せいじゅく》には寄与《きよ》しないのです。このことは、エリクソンが指摘《してき》した人間の特性なのです。

ところが今日《こんにち》、私たち親や大人たちは、しばしば、大人から学ぶことの価値の高さだけを過大評価しすぎています。それはそれで価値のあることです、価値がないとはけっして思っておりません。けれども、それは、子どもが健全で勤勉な社会的人格を発達させるための不可欠な要件でも、絶対条件や十分条件でもないのです。それなのに私たち大人は、大人から学ぶことのほうを過大評価しすぎて、子どもの仲間同士で教え合うようなことはろくなことではない、あるいは、たいしたことではないと、しらずしらずのうちに思っているところがあります。

それは昔の親でも、おなじだったのです。遊び友達から学んでくることなんか、ろくでもないことだと思っていたのです。遊んでばかりいないで勉強しなさいといわれてきましたし、まじわれない。ほとんどというより、まったくといっていいくらい、そういうこと

くなことではないと考えていました。先生から学ぶことがだいじだと、私たちの親はいっておりました。けれども、親のそういうことを無視して、私たちは仲間同士ですごす時間が多かったのです。授業中は居眠《いねむ》りしていても、放課後は目が覚《さ》めたのです。仲間とのまじわりは楽しく感動的で、生き生きとしていろんなことを伝え合ったのです。それは、親が感心するようなことを伝え合っていたわけではないのです。質や内容という点では、たいしたことではなかったのですが、量は豊富でした。だから健康で、社会的にはどんどん成熟《せいじゅく》していくことができました。ひきこもりやモラトリアムの子どもも、若者もいませんでした。

　不登校の子どものなかには、自分の考えや自分の気持ちを、自由に表現することができない子どもが少なくありません。コミニュケーションがうまくいかないのです。人とのまじわりに、おそれやストレスを感じる、苦痛を感じるのです。だから保健室へのがれたり、自宅へ閉じこもってしまうのです。あるいは人間関係のないところだけを歩いている、歩行者天国を歩いているとか、人と関係しなくていい雑踏《ざっとう》のなかを選んで歩いているのです。彼らは静かな自然のなかへもあまりいけないのです。人との関係を求めているのですが、映画館にいったり歩行者天国を歩いたり、知っている人のいないところを歩いているのです。まわりに人がいないと不安なのです、たいへんな不安だし、たいへんな苦痛だと思います。そのくせ人とまじわれないのです。

保健室登校の子どもたち

今日《こんにち》、不登校の子どもたちに会っていますと、完全な不登校になる前には、保健室にいきたがるということをよくやります。お腹《なか》がいたい、頭がいたいと、保健室にいりびたろうとする子どもがいます。そういうことがよくあるものですから、養護の先生たちと私たちは、もう二〇年ほど前から、いろいろな研究や勉強を重ねてまいりました。

不登校の子どもたちにたいする、養護の先生たちの理解が深まってまいりまして、子どもたちのことをとてもよく理解して、保健室によく受け入れてくださるようになりました。そうしますと、子どもたちのくつろぎ、やすらぎの場が保健室にみつかります。そのように保健室でいい対応をしてくださいますと、学校にまったくいかなくなっていた子どもが、保健室にだけは登校できるようになってきます。

けれども、自分のクラスにはどうしてもいけないのです。自分の教室にはいけないのですが、保健室には登校できるようになります。たいていの子どもは、最初のうち、仲間の目にふれない時間にやってこようとしますから、朝はみんなよりおくれて登校してまいります。みんなが教室に入り終わったころに、おくれて通学してきます。そして、たいていの生徒は、同級生たちが下校する時間をさけて、早めに帰宅します。これがふつうなのです。

ところが、だんだん保健室登校がなれてきまして、保健室の先生と安心できる、と

てもいい関係になってまいりますと、だれもまだ登校してこない早朝に、学校にやってきて、保健室の前で養護の先生がやってくるのを待っている生徒も、目立つようになってきました。しかも、そういう子どものなかには、授業が終わって多くの生徒が下校してしまっても、そのまま残って、いちばん最後まで帰らないでおこうとする子どもが、目立ってきたのです。

授業が終わって生徒がみんな帰って、部活動をしている生徒たちもみんな帰って、最後のほんのひとにぎりの子どもたちが帰ろうとしている時間になって、やっと帰ろうとするわけです。保健室の先生は毎日、クラブや部活動をしている子どもが帰るまで、保健室にいなければならないということではないのです。すこし早めに帰りたいと思うこともあるのですが、保健室登校をしている子どもたちの何人かは、しばしば、保健室の先生に「帰らないでくれ」とうったえるようになってまいりました。

ですから先生が、「明日は用事があるから休みます」とか、「保健室の先生同士の研究会で、どこどこへいきますから、今日《きょう》の午後はいません」とか、「夕方早く帰りますと」とかいいますと、「いかないでくれ」、「帰らないでくれ」というふうに、せがむ子どもがだんだんふえてきました。毎日夕方になると、早く帰りなさいというのに、帰らない子どもがふえてきているのが現実のようです。こういう事実は、どういうことを意味しているのかといいますと、この子たちはやすらぎの場を求めて、一生懸命《けんめい》になっているということだと思います。

自分の学校やクラスよりも、家庭のほうにやすらぎがあれば、家庭のほうにいよう

としますから不登校になります。ところが、自分の家庭よりも、保健室のほうが大きなやすらぎの場ということになりますと、登校拒否《きょひ》ではなく、帰宅拒否《きょひ》になってきます。子どもによっては、こういうことになっているのだということが、だんだんわかってまいりました。近年になって、保育園の幼い子どもにも、こういう傾向《けいこう》をはっきりみせる子どもが目立ってきました。

やすらぎの場の経験が少ない

もっとせんじつめて申《もう》しますと、この子たちは、本当のやすらぎの場にいて育てられた経験が十分ではなかったように思います。不登校の子どもがすべて、そうだったというのではありません。けれども先に述《の》べたような、学校の保健室に長くいようとする生徒や、夕方親がむかえにきても、なかなか帰りたがらない保育園児をみていますと、彼らはそうだと思います。彼らは親にたいする、本当の依存《いぞん》経験が不足しているのです。ですから自分に自信もないし、まわりの人を信頼《しんらい》できないのです。すこし誇張《こちょう》して申《もう》しますと、場合によっては、親にたいする信頼感《しんらいかん》もすこし弱いのかもしれないと思います。

親の責任ということで、申《もう》し上《あ》げているのではないですよ。現代社会のしくみのなかで、子どもたちは人を信じる力が弱くなっているのだと思います。大人たちもそう

かもしれません。このごろは、なにかちょっと不都合《ふつごう》があったときでも、ちょっとお隣《となり》さんにお願いにいくということが、なかなか大人でもできないのですね。

現代人には身近に信じられる人がいない、あるいは、自分のことを受け入れてくれるような人がいないという気持ちが強いのです。身近な人にちょっとなにかを頼《たの》みにいくというようなことが、簡単にできにくくなりました。そういう時代なのです、それがいまの時代なのですね。

私たちは、いま自分たちが住んでいる社会のいろんな人の気持ち、しくみをよく知らないと、現代っ子の育児、保育はうまくいきませんね。子どもたちは、やすらぎの場を求めているのです。それにどうこたえてあげるかということも、だいじなことなのです。

不登校といわれる子どもたちは、家庭のなかでも、どこか居《い》づらく思っていることがよくありますが、そうなってまいりますと、自分の部屋に閉じこもります。自分の部屋に閉じこもって、ぜったいに家族も部屋にいれないということがあります。家族といっしょに食事をしないでおこうとする子どもは、私の経験でも数えきれないほど、おおぜいいます。自分の部屋の前まで、母親に朝、昼、晩の食事をとどけさせて、ひとりで食べているのです。家庭のなかのアパートに住んでいるみたいですね、店屋物《てんやもの》を母親に注文して食べている感じですね。そば屋さんが天丼《てんどん》かなんかをとどけにきて、部屋の前においていくといったふうです。子どもはそれを自分の部屋のなかにいれて食べ、食べ終わるとどんぶりをまた外へだしておくと、こういう感じなのです。

もし、家族がそれにおうじないと、たいへん激《はげ》しい暴力をふるうものですから、家のなかの家具をこわしたり、ガラスを割ったり、壁《かべ》に穴を開けたりするものですから、家族もその要求を飲まざるをえないということになっているのです。そのような家庭内暴力をともなった、自室への閉じこもりは、不登校の子どもにはしばしばみられることです。

家族のなかでやすらげなくなると、子どもは、そういういらだち方をすることがよくあります。そういう子どもや若者に会って、話を聞くことができると、現在のことよりも、幼かった過去に家庭で十分にやすらいでいられなかった、という回想《かいそう》をすることが多いのです。それでも、保健室の先生がいい受け入れをしてくださると、そんなことをしないで、保健室には登校できるようになる子どもも、ではじめてきます。

それから、なかには子ども同士で、グループでそういうやすらぎの場をつくろうとすることがときどきあります。仲間が何人かよびかけ合って、留守がちの家に集まったり、駅の構内やコンビニエンスストアのなかなどに、くつろぎのたまり場をみつけたりします。仲間同士でどこかに集まれる場所をもてる子どもは、保健室にはもう戻《もど》りませんし、最初から保健室にはいきません。

本来ならば、やすらぎのグループというのは、小学校の低学年ぐらいまでに十分経験しておくのがいいのですね。昔の子どもは、路地や村はずれや町のはずれや空き地やいろんなところで、十分経験していることなのです。

それから、小学校の終わり、中学生、高校生にもなって保健室で、やすらごうとす

るような依存《いぞん》体験というのは、かつては乳幼児期に、母親や父親や祖父母によって、十分体験させられたものだと思います。現代っ子は、それができなくなりました。できない子どもが多くでてくるようになりました。なぜできにくくなったのか、というようなことも考えてみなければならないと思います。

思春期は
自分さがしの時期

自分をみつめる時期

人間のライフサイクルのそれぞれの段階で、子どもにとっての課題というか、たいせつなことはなにかについて、くり返しお話をしてまいりました。

それでは、思春期にはどういうことがだいじなのかというと、これはよくいわれることですが、「アイデンティティ」の確立ということです。日本語にしにくい言葉ですが自己同一性《じこどういっせい》とか、自我同一性《じがどういっせい》とか、こんなかたい言葉で翻訳《ほんやく》されています。アイデンティティとは、自分はいったいどういう存在だろうかということを自覚する、あるいは自分の本質を知り、ほかの人とのちがいを知るということでもあります。

また、こういうふうにいうこともできます、アイデンティファイというのは物事《ものごと》をほかから識別するとか、特性や本質を明らかにするという意味ですね。ですから、アイデンティフィケーション・カード、IDカードというのは身分証明書になります。その人がほかの人でないことを立証するものです。アイデンティティを確立するということは、自己を確立すること、こういうふうにいってもいいかもしれません。

その内容をすこしかみくだいて申《もう》しますと、思春期というのは、自分はどんな個性をもった人間だろうか、どんな特徴《とくちょう》や能力、技能、特性をもった人間だろうかということをみつめる時期、あるいは確認しようとする時期なのです。同時に、どんな弱点や欠点をもっているだろうかということも自覚する、確認する、しっかり認《みと》めて安心しようとする時期なのです。ですから、アイデンティティを確立するプロセスのなか

で、自分は将来どんな社会的役割を負《お》うことができるのであろうか、どんな職業選択《せんたく》が可能なのであろうかと考えはじめるのも思春期なのです。

アイデンティティの確立は他人の目をとおして

アイデンティティというのは、どのようにして確立されるのかと申《もう》しますと、これもまた、エリクソンがとてもすばらしい指摘《してき》をしているわけです。「自分を、他人の目をとおしてみつめる」、こういう言い方をしております。

ですから、思春期の若者は幼児期とちがいまして、鏡をよくみるようになるわけです、これは非常に象徴的《しょうちょうてき》なことですね。自分が客観的にどんな様子をしているのだろうかということが、強い関心事になります。けれども、本当の関心は外面ではなくて、自分の内面なのです。自分がどんな人格をもっているのだろうかと、客観的にみつめようとするのです。そして、客観的に自己を洞察《どうさつ》するための鏡の役割が友達なのです。

みなさんが、いま保育をしている幼児は、自分を主観的にみているのです。主観的にみているということは、他人の目があまり気にならないということです。たとえば「大きくなったら、なにになりたい」と聞くと、もう自由にいろんなことをいいますね。そのとき、そのときの気持ちをいうわけです。子どもたちは「○○になりたい」といったら、もうなれるものと思っているのです。新幹線の運転士になりたいとか、

ピアノの先生になりたいとか、お菓子屋さん、おもちゃ屋さん、オリンピックの選手、野球の選手、会社の社長さん、テレビにでる人、パトカーにのるおまわりさん、いろんなことを子どもたちはいいますよ。

幼い子どもたちは、「〇〇になりたい」そういったとたんに、なれると思っているのです。とてもむりだなんて、けっして思わないのです。運動会でびりのほうで走っていても、「大きくなったら、オリンピックにでる」という子がいます。オリンピックのシーズンになると、子どもはよくそういうことをいいますね。それは本気でそう思っているのです。なぜかというと、かけっこがおそいのは、いまだけだと思っているのですから。大人になったときには、きっと早くなっているはずだ、こう思っているのです。自分のことを他人と比較《ひかく》したり、他人の目をとおしては考えないからです。

主観の世界にいるということは、そのように非常に幸せなことですね。自分を主観的にみている、だから幼児は鏡をあまりみないですね。真剣《しんけん》に自分の顔を鏡でみつめている幼児なんていないのです。わざと変な顔をしてみたりはしていますよ、こうするとどんな顔に映《うつ》るのだろうかと、おどけたりふざけたりしては鏡をみていますよ。

ところが、思春期の若者は真顔《まがお》で鏡をみるのです。おどけて変な顔をしてなんかみません、いちばん美しいと思う顔をして、お化粧《けしょう》をしたりして鏡をみるのです。というのは、他人の目に自分がどうみえるかということが、とてもだいじになるからです。けれども、それは外面で、一部分なのです。本当はもっと他人の目でもって、自分の内面をみつめようとしているのです。これがアイデンティティへの道なのです。

仲間をとおして自分の内面をみる

思春期というのは、自分の内面を客観視しようとする時期なのです。その鏡の役割をするのが仲間なのです。仲間の目をとおして自分をみるのです。自分が親しくしている仲間の感想とか、評価とか、反応などをみて、自分はこういうふうな人間なのだと、確かめようとするのです。ですから、仲間は自分を認識《にんしき》するための鏡なのです。外面については鏡でいいのですが、内面については、友達がぜったい必要なのです。したがって、思春期の子どもというのは、小学校時代の仲間とはちがいまして、価値観を共有できる友達が必要になってきます。ですから、子どもたちは思春期になるにつれて、小学校時代のように広く浅く、だれとでも遊ぶということはしなくなります。

思春期は自分の行動や考えにたいして、あるいは自分の能力や個性にたいして、仲間がどのような評価や反応をしてくれるかということを、たくさん寄せ集めることによって、いわば客観的に自分がみえてくるのですから、自分でいくら自分をみつめていても、みえてこないのですね。思春期の子どもにとって、自分を評価してくれる、それも肯定的《こうていてき》に評価してくれる友達はぜったい必要なのです。思春期の仲間というのは、自分にたいして安心できるようないい評価をしてくれる友達なのです。ですから、そういう友達としか仲間になれなくなります。類《るい》は友をよびというふうに、おたがいがおたがいを評価し合えるような仲間のなかに入っていくのです。

そのときに、たまたま親や先生やいろんな人からみて、好ましくない仲間に入って

いるから訂正《ていせい》しようとしても、これはなかなかむずかしいことです、その仲間からぬけでることは、なかなかできません。なぜなら、よそのグループには入っていけないし、相手も自分を簡単には受け入れてくれないのです。

思春期にどういう友達を求めるかということは、小学校時代に、多くの友達といろんなことを教えたり教えられしているうちに、どういう友達が、いちばん価値観などの波長《はちょう》が合うか、あるいは考え方や趣味《しゅみ》、主義主張《しゅぎしゅちょう》がぴったり合うかをみつけだしていくわけです。思春期までに自然にそういうことができてくるわけです。自分にもっとも見合った友達、自分のアイデンティティを補強するための友達を選んでいくわけです。ですから、思春期には仲間とせまく深くつきあっていくわけです。

長電話の意味

思春期の子どもはよく長電話をしますね。小学校時代の電話なんてそっけないもので、「うん」とか、「すん」でおしまいですよ。しかし、思春期はおたがいにおたがいの自我《じが》、アイデンティティを補強し合っているわけですから、電話は長くなります。

思春期の子どもと生活している人はおわかりだと思うのですが、彼ら、彼女らの長電話に聞き耳を立てているわけではありませんが、おおむね相手のいうことに同調しているだけの話が多いのです。「そうだ、そうだ、あんたのいうとおりだ」と、言葉

をかえ、手をかえ品《しな》をかえ、長時間話しているだけなのです。そのことがとてもやすらぎであり、だいじなことなのです。

自分を認《みと》めていてくれる、相手を認《みと》めている、こういう関係がだいじなのです。ですから、思春期にそういう友達が得られなかったら、だれもが挫折《ざせつ》します。友達と電話とか会話で夜を徹《てつ》しておしゃべりすることができないから、ひきこもりになってしまうわけです、そういうことができている子どもは不登校にはなりにくいですね。

昔は各家庭に、電話がなかったから、長電話をしなかっただけなのです。私たちのころは、友達の家でしゃべり疲《つか》れると、こたつでそのままうたた寝《ね》して、その家に泊《と》まってしまうようなことはよくありました。あれがだいじなことだったわけです。

よく、コンビニエンスストアの前や公園などで塾《じゅく》帰りの中学生などが、友達とおそくまで話しこんでいる場面に出会うことがありますが、あれなどは、友達とすごす時間の少なくなってしまった現代の子どもたちの、すこしでも長くみんなと、いっしょにいたいというあらわれかもしれません。アイデンティティへのプロセスですね。

気の合う仲間

それくらい思春期というのは、気が合うといいましょうか、おたがいがおたがいを、認《みと》め合う仲間が必要な時期なのです。アイデンティティというのはそうやって確立さ

れ、社会性の成熟《せいじゅく》というのはそういうことによって達成できるのです。だれがみてもいい仲間だ、いい友人だというなかに入っていれば、それはそれにこしたことはありません。そういうとき、若者はいちばん生き生きしています、いちばん健康です。社会的に歓迎《かんげい》されやすい仲間のなかで、友人のなかで、生き生きとコミュニケーションしている若者がいちばん元気です。アイデンティティがしっかりしています。将来の進路が決まりやすいのです。どんな社会的責任を負《お》うかということも考えやすい、どんな職業選択《せんたく》をしようかということも考えやすいわけです。

ついで、かならずしも社会から歓迎《かんげい》されない、ときには非行とか反社会的といわれる活動のなかに入っている若者たちも、それなりに生き生きしております。たとえば、暴走族といわれている若者たちも、自我《じが》を補強し合う、おたがいがおたがいを、承認《しょうにん》し合っている仲間がいるから生き生きとしております。彼らはかならずしも、これでいいとは思っていませんけれども、いちおうそれで、仮の安定はできているわけです。しかし、できることなら、もうすこし社会的に認知《にんち》される、許容《きょよう》される集団でなにかをしたいという気持ちは、かならずどこかにもっているものです。

ですから、いつまでも暴走族をやっている人もいないのです。三〇歳にも四〇歳にもなる暴走族はいないと思います。ひとりで暴走族をやっている人もいないでしょう。モーターバイクが好きなら、ひとりで走ればよさそうなものですが、いないのですね。なぜかというと、ある意味では、アイデンティティを補強し合う仲間を得るための集団ですから、暴走族でない仲間、もうすこし社会的に許容《きょよう》される、認知《にんち》される仲間が

みつかれば、暴走族はやめるのです。

人間というのはそういうものでして、できることなら、社会的に認知《にんち》され、許容《きょよう》され、承認《しょうにん》される集団のなかでアイデンティティを補強したいという気持ちは、だれにでもあるのです。けれどもそれができないから、しかたなくああいうグループのなかにいる、こういうことだともいえます。

思春期挫《ざ》折症候《せっしょうこう》群《ぐん》

いちばん苦しんでいるのは、そういう仲間にも入ることのできない若者です。彼らは大多数といってもいいくらい精神神経症《しんけいしょう》になっている、あるいは心身症《しんしんしょう》になっている、いろんな程度に精神障害に陥《おち》りそうになっていると思います。これが思春期挫折《ざせつ》症候《しょうこう》群《ぐん》とよばれているものの多くです。

思春期というのは、そのように仲間が必要な時期なのです。けれども、思春期のそういう仲間との関係は、その前にいろんな友達から学び、友達に教え、分かち合う経験を、十分にしておかなければ、仲間たちのなかに本当に波長《はちょう》の合った、アイデンティティをおたがいに補強し合うような、友人をみつけることはむずかしいでしょう。

だから、小学校時代には、友達と学び合う、遊び合うという経験がだいじだと、こういうことになるわけです。思春期の友達との関係は、小さいときに友達と遊ぶこと

がいちばん楽しかったというところからはじまっているのです。成長とともに、そのときそのときで、仲のいい友達はしらずしらずに変わっていくのですが、いつも友達をたいせつにしていなければ、アイデンティティへのプロセスは歩《あゆ》めないと思います。

精神的な問題というのは、ちょっとわかりにくいのですが、人間の営みというのはすべてそのようなものなのです。体の成長、発達とよくにています。首がすわらなければ子どもはけっして寝《ね》返りがうてないのです。寝《ね》返りをうたなければ、子どもはおすわりとか、はいはいはできません。この子は首もすわらないうちに、寝《ね》返りうっちゃったなんていう子は、ぜったいいないのです。このことは精神的な意味での、人を信頼《しんらい》し、自分を信頼《しんらい》していなければ、自律性《じりつせい》は生まれてこないということと、おなじことなのです。

ところが、精神心理的な面は、一見《いっけん》、すこしの間はみせかけの前進という現象があるのです。これはエリクソンがいっていますが、子どもは強要される、スパルタ式で育てられる、きびしく育てられると、一見《いっけん》、みせかけの前進をすることがあるのです。しかし、みせかけの前進には、かならずカウンター・リアクション、反作用というのがあって、風船がはじけるように、いつか大きく後戻《あともど》りをする、こうもいわれますが、そのとおりなのです。だから、みせかけの前進というのはこわいわけですね。

子どもにそういう問題があったときには、発達段階のその前のところにさかのぼって、前にさかのぼってというふうな対応を、教育的にも保育的にも治療的《ちりょうてき》にも手だてしなければならないのです。

ですから、思春期挫折症候群《ざせつしょうこうぐん》などの子どもたち、あるいは若者たちに、私たちが会ったときに、だいたいどういう対応をするかというと、多くの場合、精神心理的な面では、乳児からのやり直しみたいなことも必要になってきます。その子どもたち、あるいは若者たちは、一見《いっけん》、赤ちゃん返りをするわけです。思春期の若者が赤ちゃん返りをするというのは、全部赤ちゃんをやるわけじゃなくて、乳児期に不足した部分のおぎないをつけながら、のびていこうとするわけです。別に、添《そ》い寝《ね》をしたりなんかするわけではありません。けれども、現実にはそうなってしまっている若者もいます。高校生になってお母さんに添《そ》い寝《ね》をしてもらわなければ、寝《ね》られないということもあるのです。

結局、思春期挫折症候群《ざせつしょうこうぐん》にしろ、あるいは小学校時代のいろんな問題にしろ、幼児期の問題にしろ、あるところまでは完璧《かんぺき》にうまくきて、あるところから急にだめになったという例はありませんから、たいていは最初からいろんな程度に、うまくいっていないことがあるわけです。そういう子どもに会ったとき、基本的には、乳児期からの精神的なやり直しみたいなことを、私たちは考えることが多いです。思春期、青年期、成人期になった人の、幼児体験のやり直しはそうなるわけです。そういうことが治療《ちりょう》の場ではよくあるのです。

それを、治療者《ちりょうしゃ》を頼《たよ》らないで自分でやる人が、このごろはいっぱいいます。うんと年上の人に恋愛をしたり、あるいは年上の人でなくても、つぎつぎに恋愛の対象をかえて、なんとか安定しようとします。とにかく優《やさ》しい人を見つけ、自分の思いどおり

に相手を操作《そうさ》できる人を見つけようとします。乳児が優《やさ》しい母親を操作《そうさ》するように、おんぶといえばおんぶ、だっこといえばだっこ、おんもといえばおんも、あっちといえばあっち、ぱいぱいといえばぱいぱい…。そういうことをすぐしてくれる人をさがします。そういうふうに、自分が操作《そうさ》できるような人を見つけようとします。ボーダーライン・パーソナリティといわれるような人は、精神科の医者をそのように操作《そうさ》しようとすることが多いのです。

自分さがしの時期をあたたかく見守る

思春期はアイデンティティという、自分さがしをする時期なのです。そして、自分さがしのときは、みんな迷《まよ》うわけです。自分でこうありたいなという人物像と、じっさいの自分との間に乖離《かいり》現象がありますね。思春期には自分は音楽家になりたいとか、指揮者になりたいとか、あるいは作家になりたいとか、ジャーナリストになりたいとか、いろんな希望がでてきます。けれども、自分にそういう資質、能力があるとはかぎらない。自分の資質、能力と、自分が本当にこうありたいなという夢や希望と、どこで接点をみつけるかでうんと迷《まよ》うわけです。

ハンス・カロッサの小説に『美しき惑《まど》いの年』という小説がありますが、思春期、青年期は、その惑《まど》っているところが美しいのであって、しかし迷《まよ》いながら、なりたい

ことをどこかでみつけていくのです。みつけていくというのは、自分の個性、素質、能力と、自分の欲求との間の折り合いをつけていくことでもあるのです。ですから、若者たちは、やりたいことをみつけるまでは、いろんなことをやるものなのです。

親は、いったんはじめたのだから、ひとつのことを最後までやりとげなさいなんていいますね。しかし子どもにとっては、そんなことやっている時間はないのです。つぎのものを自分で見つけなくてはという、そういう思春期特有の自分さがしというだいじなことがあるのです。子どものいっている目標がころころ変わるのを見ていると、親は「なんだおまえ、またダメか、三日坊主《みっかぼうず》で」なんていってしまいがちですが、子どもにたいして失望したような言い方は、できるだけ、しないほうがいいですね。こちらが子どもに失望したようなことをいうと、その失望感を本人は自分に返すわけです。「おれは本当にだめな人間だろうな」という、一種の自信喪失《そうしつ》みたいな感情をいだくわけです。

若者のときは、そういう自分さがしというのが、かならずあるものなのだから、いろいろとやってみればいいのです。それは自然なことで、できるだけ応援《おうえん》してやりたいと私は思いますね。ようするに、自分に自信をもたせてあげなくてはいけない、そして最大の理解者が親なんだということが子どもにつうじれば、わりあいいらいらしたり、あせったりしないで、じっくり問題に取り組んでいけると思います。

ところが親のほうがあせっていると、子どもはもっとあせりますから、ちょっとやって、どうもだめそうだと思ったら、すぐぱっと、変わろうとするところがありま

すね。あるいは成果があがってくるまで、自分で待てない子もいるわけでしょう。こちらが待ってあげる姿勢をふだんからもっていると、それが相手にも身につきます。ですから、親は待ってあげる姿勢と、十分安心しているという信頼感《しんらいかん》と、それからもうひとつは、親も最善をつくしてやっているのだという実感を、子どもにどう伝えるかということだと思います。

また、自信を失わないようなやり方なら、むしろ失敗が多いほど人格も重層構造になってきますから、子どもに失敗をやらせてあげるのもだいじなことなのですね。失敗というのは、人格に厚みをますのです。ですから、私は子どもの失敗はまったく悲しみません。その失敗からどう立ち直るか、そのことこそ、たいせつなことで、そのときが、必要ならば親の出番だといつも思っています。ストレートにとんとん拍子《ひょうし》に、うまくいくなんていうことではなくていいのです。本当に、失敗は人格に厚みをますと思っていますからそのことで心配はしません。ですから求めてでも失敗というのはあってもいいくらいだと思っています。

豊かな社会が
もたらしたもの

豊かで自由で平等で平和な日本

数年前にアメリカのワシントンで、全米自閉症《じへいしょう》協会の総会がおこなわれました。私はその何十周年かの記念大会に招待《しょうたい》され、特別講演を頼《たの》まれました。講演の順番がくるのを控《ひか》え室《しつ》で待っていましたら、総会のお祝いのメッセージをもって、日本でいえば厚生省にあたる政府の次官の方がおみえになりました。女性の方でしたが、その方が話しかけてきました。バブル経済がはじける以前の日本についてのことでした。

彼女は「日本はたいへん豊かな国になりました。すばらしいですね」と、こういわれました。そういわれて、私もはっと我《われ》に返りました。確かにそうですね、みなさん。私が「日本より豊かな国はありますか、どこの国だと思いますか」とおたずねしたら、みなさんはどこの国を思いうかべますか、むずかしいですね。バブル経済がはじけても、この間のゴールデンウィークには、日本から五〇万ちかくの人が海外旅行へいったそうです。たった一週間、一〇日ばかりの間にですよ。これはひとつの象徴的《しょうちょうてき》なことでありますが、日常生活のなかでだって豊かになったと思いませんか。

ついで、「日本は自由ないい国ですね」、こういわれました。そうですね、日本は自由な国であります。日本よりもっと自由な国がほかにあると考えられますか、これもなかなかみつけにくいですね。

そして、さらに「日本は平等な国だ」と、こうもいわれました。そうですね、アメリカは、人種差別やそのほかの差別をなくそうと、一生懸命《けんめい》努力をしていますけれど

も、やはり日本よりは不平等なのでしょうか、金持ちと貧しい人の差は、非常に大きいですね。日本のように、約九五パーセント以上の人が、高等教育をうけることができる国は、世界中にどこにもないと、彼女はそういいました。

「自由で豊かで平等で、そのうえ平和じゃないですか」、ともいわれました。そうですね、平和といわれれば、徴兵《ちょうへい》もありませんし、国連の平和維持軍《いじぐん》に自衛隊《じえいたい》を派遣《はけん》するかどうかでも、大きな議論をするくらいに、私たちの国は平和なのですね。

今後どうなるかということは別ですが、日本は少なくとも今日《こんにち》までは、世界で指折りの、豊かで、自由で、平等で、平和な国です。その四つのことは、世界中の人類が目指している「宝物です」、「この四つを全部手にいれた国民は、世界史はじまって以来、まだほかにはないのです」、こう彼女はいっていました。

こういうものがすべて手に入ったときに、人間というのは、いったいどうなっていくのでしょうね。こういうことはまだだれにもわからない、日本人はいま、一種の実験をおこなっていることになるのかもしれませんね。このすばらしい宝が四つとも手に入ったときに、オウム真理教のような事件がおきるとは、だれも思っていなかったと思います。たまたまのことかもしれません、たまたまじゃないのかもしれません。

現実には、みなさんいかがでしょうか。多くの家庭では、子どもさえうまく育てられなくなったと思いませんか。貧しかった時代に、学校であんなひどいいじめはなかったのです、子どもが自殺するほどのいじめなんて、想像できませんでした。子どもを虐待《ぎゃくたい》する親なんていたでしょうか。不登校などもありませんでした。家庭内暴力

もありませんでしたね。

こういうことをいろいろ考えてみますと、豊かさとか自由とか、平等とか平和とかいうものは、みんなすばらしいことですし、どれひとつ失いたくありませんけれども、それらがすべてそろったとき、私たちはいったい、どういうことになるのかというこわさを、一方で考えてしまうわけです。

子どもたちだけに問題が生《しょう》じているのではありません。現代の日本の大人たちには、アルコール依存症《いぞんしょう》、薬物依存症《やくぶついぞんしょう》などの問題が非常に多いそうです。たいへんな勢いでふえているのだそうです。たとえば、アルコール依存症《いぞんしょう》の人がなぜふえるかというと、お酒好きな人がふえているのではないのです。孤独《こどく》な人がふえているのです。本当に信頼《しんらい》関係の豊かな友人や家族をもっていて、アルコール依存症《いぞんしょう》になる人はいないのです。みんなが孤独《こどく》なのです。孤独《こどく》ということは人を信頼《しんらい》することができないし、人から信じてもらえないということです。そういう孤独《こどく》な感情、不安な状態がアルコールに向かわせているのだと思います。

エリクソンがいっているように、人間はこうでなければ健康で健全ではいられないのですよというものを、現代の日本人は、どうも失いつつあるように思うのです。彼は若い成人期を健康にすごすための課題は、「親密性《しんみつせい》」だといっています。親密《しんみつ》さということは、人を尊敬する、敬愛《けいあい》する、人に感謝することだと思います。人を尊敬することは、相手からも、おなじ感情をもたれることでしょう。人間というのは、かならず、行《い》って来《き》ての相互《そうご》関係でありますし、表裏の関係なわけです。この関係につき

ましては、前にもお話ししていると思います。

こちらから相手を信じているのに、相手がこちらを信じてくれないということはないのです。人を尊敬したことがないような人が、だれかから尊敬されることはありえません。感謝したことのない人が、人から感謝されるということはありえないのです。人から愛されていないのに、人を愛することのできる人も、めったにいないでしょう。相手の喜びや悲しみに、大きな喜びや深い悲しみを感じてあげることができる、そういう感受性を自分自身がもっていなければ、自分の喜びや悲しみに共感してくれる人はでてこないと思うのです。

世界でも指折りの豊かな国になった日本で、いま私たちは、人間に根源的にたいせつな、人とくつろぐ、人といっしょにいることにやすらぐ、という感情を失いつつあるように思います。その感情の喪失《そうしつ》が、現代の社会に、多くの困難な問題を投げかけているように思えるのです。

豊かさが破《は》壊《かい》したもの

日本はいま、ものが豊富にある、世界でも指折りの豊かな社会です。そして、日常の生活は非常に便利になりました。しかし、生活が豊かで便利になった分《ぶん》だけ、本当に幸せになったのでしょうか。そういうことも、みなさんに考えていただきたいので

す。ものが豊かになって生活が便利になると、それだけ人は幸せになるとは、かならずしもいえないということを、みなさんも、きっと実感しているだろうと思います。

おそらく、日本の歴史のなかで、今日《こんにち》の社会ほど、家庭のなかでいざこざが多い時代はないでしょう。それはなぜかということも、考えていかなくてはいけないことだと思います。家族間の暴力行為《こうい》とか殺人とかいうのも、いま、過去にないほど激《はげ》しいのではないでしょうか。それはなぜかということです。

それはなぜかという前に、こういうことをひとつ考えてもいいです。文明の発達とものの豊かさというのは、その代償《だいしょう》として、私たちが自然環境《かんきょう》の破壊《はかい》をしてきたということです。自然環境《かんきょう》がどんどん破壊《はかい》されているというのは、もうみなさん知っていると思うのです。川の水がきたなくなり、緑が少なくなり、空気がよごれてオゾン層が破壊《はかい》され、紫外線《しがいせん》の防御《ぼうぎょ》ができなくなり…、こんなことはもうだれでも知っているわけです。文明というのは、確実に自然環境《かんきょう》を破壊《はかい》しながら進歩してきたわけです。

では、破壊《はかい》しているのは自然だけかというと、じつはそうではなく、人の心も破壊《はかい》しているのです。みなさんも、おかしいなとお気づきでしょうけれども、最近の新聞、テレビなどで報道されるさまざまな事件をみるとおわかりだと思います。

アメリカでついこの間、日本人留学生の殺人事件がありました。アメリカの都会では、殺人事件が年間千人をこえる都市がいくつもあるそうです。ご存じですか。一年間に殺人が千件をこえるということは、毎日、平均三人ずつぐらいの人が殺されるわけです。そして、銃《じゅう》を中心とする凶器《きょうき》による若者の死亡数は、じつに一万人になるそ

うです。さいわい日本では、まだアメリカほど殺人事件の数そのものは多くはないと思います。けれども最近では、全犯罪にしめる少年犯罪の割合は、むしろ日本のほうが多くなりつつあるようです。

これは、機械や物質文明の進歩とともに、自然が破壊《はかい》されたように、人の心も破壊《はかい》されつつあるということを物語るものです。けれども、私たちはこんなに文明の進歩した社会に、かつて住んだことがありませんでしたから、文明の進歩が人間の心にどういうものをもたらすか、ということは知らなかったわけです。進歩してみて、はじめてわかったわけですね。文明は進歩するほうがいいと、だれもが信じていましたし、いまでも信じています。ですから、文明をおくらせたほうがいいとは、だれも思っていないのです。

便利さは欲望を拡大《かくだい》する

現在の豊かで便利な生活をやめて、昔のような、不便でも自然の豊かな社会に戻《もど》そうということは、困難なことだろうと思います。簡単に自動車をやめて、自転車に戻《もど》ろうということは、おそらくできないだろうと思います。電気洗濯機《せんたくき》をやめて、手で洗濯《せんたく》をしましょうなどということもできないわけです。

自動車にのり、洗濯機《せんたくき》を使い、掃除機《そうじき》を使い、というような生活は、電気を使い、

石油を使うというように、すべてエネルギーを使うことにつながることです。エネルギーをたくさん使うということは、エネルギーをたくさん生みださなければいけませんから、火力発電や原子力発電などをやめたら、いまのような便利な生活はもう成り立たなくなるわけです。ですから、原子力発電についても、最大の安全を配慮《はいりょ》しながら、危険を承知《しょうち》で使っているわけです。チェルノブイリの原子力発電所の火災爆発《かさいばくはつ》事故のようなことはもうないだろうと、私たちは思っているかもしれません。しかし、じっさいには、日本でもあちこちの原子力発電所で、放射能漏《も》れの事故がおきていいます。ですから、チェルノブイリのような大きな事故がもうおきないかということは、断言できないむずかしい問題です。

どこの家庭でも、テレビを一日に、二時間以内にしましょうとか、一日、一週間、一か月のガソリンの消費量を、これ以内にしましょうとか、電気の使用量を、これ以上にはしないようにしましょうとかいう配給制《はいきゅうせい》に、もはや私たちの生活を、簡単には変えることはできないと思うのです。

私たちが便利な生活をするということは、自然を破壊《はかい》する。自然を破壊《はかい》することが、即《そく》人間の心を破壊《はかい》すると、短絡的《たんらくてき》にいっているのではないのです。けれども、こういう文明の進歩が、なんらかの形で人の心も破壊《はかい》しているということを、考えていただきたいと思うのです。現代の社会は、より便利な生活を望む人の心を、いろんな方法で刺激《しげき》することによって、成り立っている社会だということも現実なのです。刺激《しげき》された人の欲望はどんどんふくらんでいって、そのことが人の心にもさまざまな影響《えいきょう》を

与《あた》えているのではないでしょうか。

たとえば、私の住んでいる町田市の郊外《こうがい》の住宅の周辺に、三〇〇メートルから四〇〇メートル四方のところに、三軒《さんけん》のコンビニエンスストアがあるのです。二四時間オープンしています、これは便利ですよね。いつなんどき、なにかほしくなったら、ひょいといって、それを手にいれることができるのですから。

自分の家庭をふり返ってみると、洗濯機《せんたくき》は全自動という洗濯機《せんたくき》です。全自動というのは、みなさんはご存じですね、洗いからすすぎ、脱水《だっすい》まで全部やってくれるのです。するとつぎは、「この洗濯物《せんたくもの》を乾《かわ》かしてからだしてくれると、もっと便利なのに」なんていいたくなると思いますが、便利になると、もうちょっと便利にならないだろうかというふうに、人の気持ちはなっていくのです。それは自然なことだと思います。

そのほか、日常の生活でも数多くのことが便利になりました。みなさん食事をするときも、とても便利になったでしょう。いろんな出来合いのお惣菜《そうざい》があったり、ちょっと加工するだけで食べられるものがあったり、電子レンジで「チン」すればいいものがあったり、便利になりました。あるいは、ちょっと疲《つか》れたなと思ったら、ファミリーレストランにいって食べたり、そういうことも簡単にできるようになりましたね。

そうしますとどういうことになるかというと、私たちは、欲望をがまんする習慣がなくなってくるわけです。なんでも手軽に、いつでも手に入るから、がまんしてなにかすることもなくなります。冬、お湯のでる流しで洗い物をすることができるし、部

屋をいつも暖かくしておくこともできる。冬は、朝一番早くおきる人がたいへんなわけです。二番目、三番目は楽《らく》なのです、部屋が暖まってからおきてくればいいのですから。ちょっと高級な住宅にお住まいの方は、枕《まくら》もとでスイッチをいれておくとか、あるいはオートマチックにスイッチが入って、五時半ごろから部屋を暖めはじめるとか、六時から暖めはじめるとかいうお宅も、最近はたくさんあるわけです、おきると部屋がもう暖かくなっているのです。

ということは、どういうことかというと、欲求、欲望、衝動《しょうどう》をがまんする必要がなくなってくるわけです。がまんする必要がなくなってくると、どういうことになるか、これはもうたいへんなことになります。おたがいががまんをしないのですから。あるいは、できにくくなったのですから。さらに、現実の社会では、人にがまんをさせないような、社会的な一種の教育もなされているのです。テレビのコマーシャルというのは、みんなに衝動《しょうどう》買いをさせることを、一生懸命《けんめい》やっているものなのです。

現代人は、生産と消費の大きいことが、文化や文明の水準《すいじゅん》が高いことだと、思いちがいをしています、させられています。自動車でも電気製品でもビールでも、そのほかいろんなものが、毎年新しい製品となってでてくるわけでしょう。たいして新しくないのですが新製品と思わせて、まだ使えるものをやめさせて、つぎつぎ新しいものに買《か》い替《か》えさせられているのです。

いずれにしろ現代社会では、そのように人間の欲求を刺激《しげき》することがすごくだいじで、それが景気を刺激《しげき》し、経済を豊かにし、文化を向上させると思わされているので

す。そして自分の欲求を抑制《よくせい》できない結果として、自然も社会も人の心も破壊《はかい》する、こういうしくみになっているのは、みなさんおわかりになると思うのです。

私たちが文化的な生活をすればするほど、一方では原子力エネルギーが必要になります。そして、大気《たいき》は汚染《おせん》されます、ごみはたくさんでます。それから、人は欲望をおさえることが下手《へた》になります、する必要がないのですから。

このことは、ものにたいして、欲望をがまんすることが、できなくなったということだけではなくて、人との関係においても、がまんすることが、できなくなることなのです。

がまんができなくなってきた

私は三日前にアメリカから帰ってきたのですが、アメリカではこの数年間、離婚率《りこんりつ》が五〇パーセントになるそうです。夫婦の関係において、がまんをしないからすぐ別れる、そして、つぎに気にいった人と結婚《けっこん》し、また気にいらなくなったら別れるというようになっているそうです。そのことがいいとか悪いとかではなくて、現代人の心は、そういう現実になったということなのです。

向こうの人がおもしろい冗談《じょうだん》をいっていました。ある人がある人に恋愛をした、相手の方はもう結婚《けっこん》している人だった。けれども、待っていれば結婚《けっこん》できる可能性は五

○パーセントあるというのです。なぜかというと、離婚率《りこんりつ》が五〇パーセントなのだから、いまその人が結婚《けっこん》しているとしても、たいして気にしなくてもいい、五〇パーセントの確率《かくりつ》で離婚《りこん》してくれるのですから。こういう冗談《じょうだん》とも本気ともとれるような話をしていました。

ところが問題なのは、がまんする必要がない生活をしているうちに、がまんができなくなってくるわけです。みんなが、衝動《しょうどう》をがまんしなくなってくるのです。

ある町の保育園にうかがったときに聞いたお話です。深夜にお父さんとお母さんが、子どもを寝《ね》かしておいてカラオケにいく、それも小さい子どもをおいてでかけるわけです。四歳の子が夜中に目を覚《さ》ます、するとお母さんやお父さんがいないので不安になって、家をでてさがしにいった。そしてその子は、警察に保護されたのだそうです。その子は、なんども夜おそく保護されているのだそうです。

そのたびに、お父さんやお母さんは警察から注意されるのですが、「目を覚《さ》ますことはめったにないものだから」と、こういっているというのです。確かに、夜中に目を覚《さ》ますことはめったにないかもしれませんが、たまにはあるのですよ。めったにないから、きょうは大丈夫《だいじょうぶ》だろうと思ってでかけるわけですね。それは今夜、目を覚《さ》ますか覚《さ》まさないかを賭《かけ》をしたら、覚《さ》まさないほうが多いでしょう。確かに五回やって一回とか、一〇回やって一回、目を覚《さ》ます程度のことなのでしょう。

ところがその子どもは、半年ぐらいの間に三回も保護されているのです。二か月に一回ぐらいの割合です。二か月の間に、何回カラオケにいくのか知りませんが、その

うちのたかだか一回だから、めったにはないのだというわけです。めったにないといっても、たまにはありえるのだから、そういう危険なことはしてはいけないと注意されたら、そのお母さんは、子どもに飲ませる睡眠薬《すいみんやく》を、病院にもらいにいったというのです。こういう発想もあるのです。自分の欲求や衝動《しょうどう》がおさえられないのですね。

一般的《いっぱんてき》にいえば、大多数《だいたすう》の人は、深夜に乳幼児をひとりぼっちにして外出するなんていうことは、ぜったいにしないでしょうね。火事があるかもしれないし、どんな事件があるかもしれない。けれども、自分がああしたいこうしたいと思ったら、たとえば、歌をうたいたいとか、お酒を飲みにいきたいとか、そう思ったら、もうがまんができないという人は、いろんな程度にふえてきたと思います。

なぜ、おさえることができないかというと、基本的に申《もう》し上《あ》げれば、やはりそういう人は不幸なのです。幸福な人は夜中に歌をうたうとか、お酒を飲みにいくという小さな欲求なんか、すぐに抑制《よくせい》できる、おさえることができるのです。そのほかのことがおおむね幸せなのですから。人は幸福であればあるほど、そのとき必要な抑制《よくせい》はきくのです、がまんができるのです。しかも、がまんなんて思わないでできるのです。幸福というのはそういうものだと思います。

自分の欲求をおさえられない両親の子どもに、思いやりが育つはずはもちろんありません。そう思いませんか。こういうお母さんが、ああいうお母さんがと、ひとりずつ非難しているのではないのです。私たち現代人の感性が、そういう方向に、徐々《じょじょ》に向かっているということなのです。そういう現状のなかで、子どもたちに思いやりの

感情を育てる、幸せな子どもに育てるというのは、どういうことなのでしょうか。

怒《いか》りのコントロールができない

私たちは、だんだんがまんできなくなってきました。大人ががまんしなくなれば、若者や子どもは、もっとがまんしなくなります。衝動《しょうどう》買いとか、ものにたいして欲求がおさえられないうちは、まだいいのですが、これが人間関係においても衝動《しょうどう》が抑制《よくせい》できなくなると、たいへんなことになります。ささいないざこざが大きな事件になってしまうこともあるわけです。

私自身、この夏に、網膜剥離《もうまくはくり》という目の難病《なんびょう》で大学病院に入院をして、二度手術をうけて、やっといい経過をたどれるようになりました。すこしずつ視力が回復しているわけですが、入院中に私はおどろきました。六週間ちかく入院していましたが、ほとんど毎週のように、大げんかで眼球破裂《がんきゅうはれつ》とか、失明するかもしれないようなひどいけがをした若者たちが、深夜に救急車ではこびこまれてきました。

どうしてそんなひどいけんかをするのだろう。若者たちは、感情の歯止めがきかなくなっているのです。ささいなことでいさかいがおきる、ところが、けんかそのものはささいでなくなる。頭蓋《ずがい》骨折であるとか、眼球破裂《がんきゅうはれつ》であるとか、下顎《したあご》骨折であるとか、それはすごいけんかをするようです。そういう若者たちの話を毎週のように聞き

ました。

　私の部屋にも、大げんかをして入院してきた若者がいました。その人は眼球《がんきゅう》が入っている眼窩底《がんかてい》の骨が折れて出血もひどく、視力のない状態で、救急車で深夜はこびこまれたのです。さいわい失明はまぬがれたようですが、退院しても、左右で眼球《がんきゅう》の位置がちがってしまうということでした。このように、現代の若者たちは、いったんけんかをはじめますと、抑制《よくせい》がきかなくなって、相手に大けがをさせたり、場合によっては死亡させてしまうことが少なくありません。

　ちなみに、病院ではその青年のけがのことで、家族に連絡《れんらく》をとりたいといったのですが、その青年は家族の居場所を教えたくないというのです。母親はいるけれども連《れん》絡《らく》したくない。連絡《れんらく》したくないというよりも、連絡《れんらく》できない事情があるようで、その青年のさびしさを私は思いました。自分はもう一人前《いちにんまえ》に働いているからいいのだと、母親をよばないのです。これもまた、たいへん不幸なことですね。その青年の親がどんな親で、どんな家庭で、どんな生《お》い立《た》ちをしてきたかということを、それなりに想像せざるをえませんでした。

　それから、数日して加害者の人がたずねてきました。加害者をみて、私はあぜんとしました。一見《いっけん》、じつにもの静かな、端正《たんせい》な青年なのです。俳優にしたいような人だと看護婦さんがいっていましたが、本当にそういう感じで、ジーンズとティーシャツのにあう、なんともいえない端正《たんせい》な青年でした。

　あの青年がどうして大げんかをして、こんなひどいけがをさせたのだろうかと考え

てしまいました。大けがをさせられた青年も、「あそこで謝《あやま》っちゃえばよかった、けれどもおれは、やっぱりそういうところで謝《あやま》れないんだ」なんていっていましたが、本当に心身ともに、たいへんな後遺症《こういしょう》のけがだろうと思います。

そういうふうに、ささいなことにも現代人はおしなべて、がまんができなくなっている。そういう現実が、まず私たちは家庭のなかにも、どこにでもあるということを知っておかなければいけないと思うのです。

退却《たいきゃく》神経症《しんけいしょう》の若者たち

名古屋大学の精神科の笠原教授が、現代の若者、あるいは、若い大人たちのひとつのありように「退却神経症《たいきゃくしんけいしょう》」という呼び名をつけています。退却《たいきゃく》というのは、学校の集団から退却《たいきゃく》する、あるいは職場の人間関係から退却《たいきゃく》するというふうな意味で、退却《たいきゃく》神経症《しんけいしょう》と名づけているのです。しかも、その若者たちの症状《しょうじょう》が、ノイローゼっぽくなっているということなのです。

わかりやすい事例として、ある大学の学生をたくさんあげています。その大学では、理由がはっきりしないままに留年をくり返す学生が、どんどんふえてきたというのです。そこで、教授が彼らに会ってみておどろくことは、彼らは自分自身でなぜ留年をくり返してしまうのか、うまく話せないというのです。自分で留年の理由をうまく説

明できないのです。なぜ勉強に身が入らないのかわからないのです。

その大学というのは偏差値《へんさち》の非常に高い学校で、入学試験はけっして簡単ではないのです。その試験を突破《とっぱ》してくるわけですから、勉強ができない学生ではないわけです。しかも大学生ですから、もう大人なのですよ。自覚もあり、能力もある、けれども結果として、留年をくり返してしまう。そして自分でもその理由が説明つかないで、苦しんでいるというのです。

それらの若者に会って教授がいろいろインタビューをし、援助《えんじょ》の手をさしのべようとする。そのとき気づくことは、こちらが彼らに近寄っていこうとすると、彼らは遠ざかっていってしまう。それじゃしかたがないと思って、こちらがひきさがろうとするとちかづいてくる。一定の距離《きょり》よりちかづけないけれども、はなれていることにも非常に不安がる、こういう傾向《けいこう》があるというわけです。

人との関係において、一定の距離《きょり》に入って親しくなりたいのだけれども、本当には親しくなれない。安心して寄りかかっていきたいのだけれども、安心してコミュニケーションができない、といってひとりでいるほどの自律性《じりつせい》や自立心があるわけではない、そういう状態の若者がとてもふえているということです。

彼らは本当の意味で共感し合った人間関係はもてないが、孤独《こどく》にも耐《た》えられない、こういう奇妙《きみょう》な距離《きょり》にいるのですね。こういう若者、若いお母さんたちが、だんだんふえてきたのです。若いお父さんもおなじことですが、お母さんのほうが育児に直接関与《かんよ》することが多いので、私は仮にお母さんという言い方をしていますが、それは

じっさいはお父さんもふくめてだというふうに、お聞きくださったほうがいいのです。

喜びの感情を失ってしまった

そういう若者たちに会ってみると、彼らはしばしば、喜びや悲しみの感情を、失ってしまったようにみえるのです。喜びを感じる感情、感性が稀薄《きはく》になってしまった、一見《いっけん》すると、感情の起伏《きふく》がなくなってしまったようなのです。ところが一方では、怒《いか》りをとても感じやすくなっているのです。喜びと悲しみを感じなくなって、怒《いか》りをとても強く感じるようになっているというわけです。

これはよくわかるのです。喜びと悲しみの感情というのは表裏一体《ひょうりいったい》になった感情で、ひとつの感情です。ですから、ささいなことでも大きく喜べる人は、また、ささいなことで、深く悲しめるものです。私は人間にとって、喜びと悲しみの感情はとてもだいじなことだと思っています、とても人間的な感情だと思っています。自分におきたなにかについて、大喜びできる、感謝ができる、悲しむことができる。家族のことも友達のことも、いっしょに喜んであげられるし、悲しんであげられる。私は人間がこういう感情をもつということは、非常に人間的なことで重要なことだと思っています。

喜びと悲しみの感情というのはひとつのセットになったものですから、たぶん、片方だけ強いという人はいないわけです。喜びの感情というのは、かならず背中合わせ

に悲しみの感情をもっているものです。

また、おなじようにセットになった感情として、優越感《ゆうえつかん》と劣等感《れっとうかん》もあります。優越《ゆうえつ》感《かん》の強い人は、自分よりすぐれたと思う人の前では、劣等感《れっとうかん》を強く感じます。劣等感《れっとうかん》の強い人も、自分より弱い人をみつけると、その人に優越感《ゆうえつかん》を感じるというように、優越感《ゆうえつかん》と劣等感《れっとうかん》の感情も背中合わせの関係が、非常に強い感情なのですね。

人間はだれにも、そういう感情はいろんな程度にもっているのですが、できることなら、私たちは優越感《ゆうえつかん》と劣等感《れっとうかん》という感情はできるだけ小さく、弱くもちたいものです。すぐれた人の前にいっても劣等感《れっとうかん》を感じない、すぐれていない人の前にいっても、優越感《ゆうえつかん》なんか感じないでいられるのがいいと思っているのです。

怒《いか》りの感情だけが強くなる

人といっしょに、ささいなことでも大きく喜べる、小さな不幸を深く悲しめるというのが、私はとてもだいじなことだと思っているのです。ところが、現代人は喜びと悲しみの感情を、どんどん失いつつあるようなのです。そうすると、人間というのは、あらゆる感情を失うかというと、まったくそうではなくて、怒《いか》りの感情をとても強くしていくのですね。ですから、喜びと悲しみを感じにくくなると、どうも人間というのは自然に怒《おこ》りっぽくなる、これは確かなことのように思うのです。

生命というのはそういうもので、ひとつの生命のなかで、あるいは生態系全体をとってもそうなのですが、そのなかでなにかが失われると、なにかが頭をもたげてくるのです。わかりやすい例でいいますと、私たち医学の領域《りょういき》では、抗生《こうせい》物質などの開発や普及《ふきゅう》で、細菌性《さいきんせい》の病気がどんどんへってきました。赤痢《せきり》やコレラやペストや、細《さい》菌《きん》による肺炎《はいえん》という病気もどんどんへりました。

ところが一方、細菌《さいきん》がどんどんへるのに並行して、ビールスの病気がどんどんふえてきたのです。非常に不幸なことですが、こういう永遠の追いかけっこが、医学の世界でも続くだろうと思います。なにかが失われると、なにかがでてくるということは、これは生態系もそうですし、一個の生命のなかでもそうだと思います。

たとえば、私は何年も前に「頭にくる」という言葉を聞いたときに、なんて品のないいやな言葉がでてきたのだ、だれが考えたのだと思っていました。ところが、そのうちにこんどは「ムカつく」という言葉になった。現代の若者は、頭にきたなんていう言葉では、もう表現しきれないほど大きな怒《いか》りを感じるのでしょう。ところが、その言葉を聞いてもおどろきましたが、さらにこのごろでは、「超《ちょう》ムカつく」という人がいるわけです。怒《いか》りを「腹が立つ」なんていう表現では、もう表現がしきれないのです。

最近では「キレる」という言葉が、新聞、テレビなどでよく使われています。これは際限《さいげん》のない怒《いか》りの感情を、つぎつぎに新しい言葉で表現していくことなのですね。

では一方で、私たちのまわりに怒《いか》りの表現に匹敵《ひってき》するような、喜びとか悲しみを表

現する言葉があるかというと、ないのですね。なぜかというと、現代人は「うれしいな」と思う感情を、「うれしい」という言葉でいえば、もうそれで十分なわけです。喜びの感情を、もっと大きな表現でするほどの喜びは、なくなってしまったのですね、あるいは喜びがあっても感じなくなっているのです。悲しみもそうです、「悲しいな」なんていうことをいっている人は、めったにいないですね。喜びとか悲しみの感情の表現ではなく「いらいらする」、「腹が立つ」、「頭にくる」、「ムカつく」、「キレる」というふうに、怒《いか》りの感情ばかりの表現が多くなってきたのではないでしょうか。

いやなことは人のせいにする傾向《けいこう》

これは、文化人類学者たちが私たちに教えてくれたことですが、なかなかするどいことを指摘《してき》してくれています。人間というのは、どこに住んでいても、どういう人種であっても、どこの国の人であっても、そういうこととは無関係に、物質的、経済的に豊かな社会に住んでいる人間ほど外罰的《がいばってき》になる、あるいは他罰的《たばってき》になるというのです。それは人間というものの、本来の特性なのだそうです。個人差はあります、個人差がありますからいろんな人がいます。けれども、人間というのはだれもが、そのような共通した特性をもっているのだそうです。そして、外罰《がいばつ》、他罰《たばつ》の反対語は内罰《ないばつ》であり、自己罰《じこばつ》です。

どういうことかと申《もう》しますと、人はなにかいやなことや不快なことがあると、その原因をだれかほかの人のせいにしたくなる、そういうことだそうです。これは、ものの豊かな社会に住む人のほうが、そういう感情になりやすいのだそうです。

具体的な例を申《もう》しますと、自分の幼い子どもの手をひいて、自分の家の近所を散歩していたとします、そして、ちょっと気をゆるしたすきに、子どもが親の手をふりきって、ちょろちょろと歩いていってつまずいて転《ころ》んだ。その拍子《ひょうし》に、道の端《はし》にあったどぶ川に落っこちたとします。そして洋服をよごしてしまった、あるいは落っこちたときにどぶ川の端《はし》で体をこすって、ちょっとした傷をつくってしまった、というようなことが仮にあったとします。こんなときに、私たちが「ああ、しまった、うっかりして子どもの手をはなしてしまった」、「不注意をした、失敗したな」という気持ちをもてば、これは内罰《ないばつ》です、自己罰《じこばつ》です。

ところが、その瞬間《しゅんかん》に、このどぶ川の管理責任者は、いったいだれなんだというふうに思ったら、これは外罰《がいばつ》です、他罰《たばつ》です。「こんな人通りの多い道端《みちばた》のどぶ川に、ふたをしないでおくなんて」、「なんという行政の怠慢《たいまん》だ、どぶ川の管理責任者の怠慢《たいまん》だ」というふうに思うとすると、これは外罰《がいばつ》です、他罰《たばつ》です。

これは、経済的に、物質的に豊かな社会の人ほど、こんなことがおきたときには外《がい》罰的《ばってき》、他罰的《たばってき》になるそうです。ものがとぼしく、貧しい社会に住んでいる人や貧しかった時代の人は、たとえば、このように子どもがどぶ川に落ちたときには、自分をせめるばかりでどぶ川の管理責任を問うなどということは、まず、しないでしょう。

ものが豊かになると、私たち人間はすべてのことにたいして、そういう態度をとるようになっていくのだそうです。これはもちろん個人差がありますけれども、ものの豊かな社会に住むということは、私たちが自分の気持ちを外罰的《がいばつてき》、他罰的《たばつてき》に徐々《じょじょ》に変えさせられていくのだそうです。

ついでですが、非罰《ひばつ》という態度もじつはあるのです。非罰《ひばつ》というのは、なかったことにしようという、こういうものの考え方です。

またこういう例もあります。みなさんが、たまたま車で、どこかへおでかけになった、友達の家にでもいこうとした。ほそい路地をあるところでまがろうとしたら、角《かど》に立っていた電柱に自動車の横腹をこすってしまった、あるいはへこませてしまった、こういうことがあったとします。そういうときに、「ああしまった、横着《おうちゃく》をしないで一回、二回ハンドルを切り返してまがれば、なんでもなかったのに」、「横着《おうちゃく》をして一回でいこうとしたから、自動車の横をへこませてしまった」こういうふうに思ったら、これは内罰《ないばつ》であり、自己罰《じこばつ》です。

ところが、「どうしてこんなところに電柱を立てるんだ」、「こんなところに電柱を立てるなんて非常識だ」というふうに思えば、これは外罰《がいばつ》です、他罰《たばつ》です。

「まあいいや、人にけがをさせたのだったらたいへんなことだった」、「自動車の横腹にすこし傷がついた程度だから、こんなものは二、三日修理工場か板金屋さんに預けておけば、もとどおりきれいになってくるんだから、まあちょっとしたお金ですむことならば、がまんしなくては」というふうに思えば、これは非罰的《ひばつ》な態度です。

こんなふうに、私たちはいろんなことがあるたびに、あるときは外罰《がいばつ》、あるときは内罰《ないばつ》、あるときは非罰《ひばつ》、あるいは、ほどほどに内罰《ないばつ》と外罰《がいばつ》をまぜたり、非罰《ひばつ》もまぜたりしながら、そのときそのときのいやな事を解消していくのです。

そこで私たちは、ものの豊かな、経済の豊かな社会に住めば住むほど、しらずしらずのうちに、外罰的《がいばつてき》な気持ちが徐々《じょじょ》に強くなっていくのだということを、まず知らなければいけないと思います。

ではなぜ、豊かな社会になると、人間の気持ちに外罰的《がいばつてき》な面が大きくなっていくのか、ということも考えなくてはなりません。

過密《かみつ》社会になると人間関係が稀薄《きはく》になる

やはり文化人類学者の友人が指摘《してき》していることのなかに、こういうことがあります。人間には、過密《かみつ》社会に住めば住むほど、人間関係を稀薄《きはく》にしていく、よそよそしくしていくという特性があるのだそうです。人間というのはそういうものなのだそうです。過密《かみつ》社会とは、国によって多少事情はちがうところはあるかもしれませんが、一般的《いっぱんてき》には、ものの豊かな、経済的に豊かな大都市を想像しますね。

そういう都市の過密《かみつ》社会に住めば住むほど、人は人間関係をさけてとおろうとするようになるそうです。近所の人たちとの人間関係がわずらわしくなる、地域社会との

深いつきあいを、しらずしらずのうちにさけて、マイペースで孤立的《こりつてき》に生きていきたくなるという面が強くなってくるそうです。ですから、なにかいやなことがあったら、なるべくまわりの人とはかかわりたくない、そのためには、そのいやなことは人のせいにする、自分には関係のないことで、まわりの責任なのだという気持ちになってくるのです。

　さらに、豊かさと過密《かみつ》というのが、いっしょに合わさりますと、こういうことも指《し》摘《てき》されています。人間というのはそういう環境《かんきょう》に住めば住むほど、目の前にいる人にたいして、その相手の人の長所よりも、短所のほうを敏感《びんかん》に感じやすくなるのです。こういうことも残念ながら人間の特性なのだそうです。人間は本来だれにも長所があり、だれにも短所があるのです。長所のない人なんか世《よ》の中《なか》にいませんし、とうぜん短所のない人もいないわけですね。

　ところが、豊かさと過密《かみつ》というのは、その人のもっているいい点よりは、いやな点のほうに、私たちの感受性を徐々《じょじょ》にするどくしてしまうそうです。そうすると、私たちはなにかいやなことがあると、人のせいにしたくなるし、できることなら周囲の人との深いつきあいや、交際などをさけてとおりたくなるし、そのうえ、まわりの人がいやな人にみえてくるという傾向《けいこう》を徐々《じょじょ》に強めていくのですね。

　この、短所のほうばかりが気になるというか、そちらが目についてしまうという感性が、徐々《じょじょ》に私たちの気持ちの多くの部分をしめてきているのです。こういう感情というのは、家族間でもそうなるのだそうです。夫婦の間でも、親子の間でも、兄弟の

間でも、おたがいにそういう感情を大きくしているのです。

私は三〇年ほど、児童と青年期の精神医学の臨床《りんしょう》をしておりますが、そのようなことは、確実に家庭のなかでもふえてきています。ですから、家庭のなかの暴力事件はふえています。外でもふえているでしょう。学校内の暴力であるとか、社会の暴力であるとか、夫婦間の殺傷事件、親子間の殺傷事件、兄弟間の殺傷事件もふえています。ようするに、相手のいやな点のほうが気になるし、なにかがあると相手のせいにしたくなるし、怒《おこ》りっぽくなったし、ゴーイング・マイ・ウエーで生きていきたくなる、というような点が強まってきたというわけです。

人のせいにして個性化とか自立化とかいって、マイペースで生きていきたくなるという感情が、近年、おそらく日本人は世界で格段に、大きくなりつつあるだろう、あるいはなってしまっているだろうと思います。

会話をつうじて人とくつろぐ

ものの豊かな社会に住めば住むほど、いやなことがあるとすべて人のせいにしたくなる傾向《けいこう》になるということはお話しました。さらに、それに過密《かみつ》な社会になると人間関係が稀薄《きはく》になるということもお話をしてまいりました。

高度成長をへて、日本は豊かな社会になるとともに、地域社会の構造も変化し、人

口の都市集中はとどまることがありません。大都市では、電車にのっても満員、買い物へいっても満員、劇場にいっても満員とか、どこへいっても満員で、ようするに、人が人にくたびれているみたいなところがありますね。だれもいないところへいって、ほっとしたいという気持ち、そういうやすらぎばかりを求めるような生活を、日常的にしすぎてはいけないのです。現代人はそういう傾向《けいこう》にありすぎます。その結果、人の心にも多くの変化や問題がでているのでないかと思います。

人間関係が稀薄《きはく》になったことのあらわれに、たとえば電車や飛行機などで、知らない人と隣《となり》合わせになった場合に、到着するまでひとことも口をきかないということは、もうあたりまえになってしまいましたね。

私は、職業的な関心があって、だれかにいつもなにかを、ちょこっと話しかけるのです。そうすると、明らかにいやそうな人と、話しかければ結構《けっこう》、話にのってくる人といるということがわかりました。けれども、ほとんどの人は自分のほうからは、まず話しかけてはこないですね。この数年の間に、私の記憶《きおく》では一回だけ相手から話しかけられて、話がはずんだ経験があるのです。

それは初老のご婦人でした。おばあさんといってはまだ悪いかもしれません。その人は名古屋からのってこられて、小倉《こくら》までいくんだといっていました。北九州市に住んでいるのだそうです。どんなご用でいらしたんですかと聞きましたら、嫁《とつ》ぎ先《さき》の娘がお産《さん》をしたので、手伝いにきたそうです。

話の途中《とちゅう》で、相手の方がお弁当をいただくというので、じゃ、私もごいっしょにと、

おなじ弁当を買って食べたのです。そうしましたら、おもしろいことをおっしゃっていました。ああ、実感だなと思ったのは、「こんな分厚《ぶあつ》い玉子焼きがいただけるなんて」といったのです。そんなことといわれて、みなさん実感がありますか。私はぴんときましたね。分厚《ぶあつ》い玉子焼きを食べられるなんてことは、昔の人にとっては感謝なのです、貧しかった時代の人にしてみれば、こんな分厚《ぶあつ》い玉子焼きは。こんなことをうちの息子にいったら笑われてしまいますよ。分厚《ぶあつ》くない玉子焼きなんかあるのか、みたいなものでして、分厚《ぶあつ》い玉子焼きひとつで、感動なんかしていられないというのが現代っ子でしょうね。

私にしてみれば、その人の気持ちというのはよくわかりましたね。私とほとんどおなじ世代なのかもしれません。その人は私が話しかける前に、話しかけてこられました。これは、私にとってはこの数年の間にたった一回の経験です。それくらい、見《み》ず知《し》らずの人から話しかけられることがなくなりましたね。

確かに、日本は豊かで自由で平等で、そして平和な国になりました。しかし、私たちの日常の生活はどうでしょう。人間にとっていちばんたいせつな、人といっしょにくつろぐ、やすらげるということが少なくなったと思いませんか。その結果、大人や若者だけでなく、子どもたちが人を信頼《しんらい》して、ゆったりとした気持ちで育っていく環《かん》境《きょう》が失われていると思うのです。そのことの重要さを、もういちど考えていく必要があると思うのです。みなさん、いかがでしょうか。

保母さん、幼稚園の先生へ

保育にたずさわることの価値

　自分が望んだことを望んだとおり育児されている子ども、基本的信頼感《しんらいかん》がしっかり育《はぐく》まれている子どもは幸せです。乳児期から早期幼児期に、自分が望んだことを望んだとおりにやってもらえて育てられた子どもは、いちばん幸せなのです。そういう子どもは、自分で自分のことを好きになれるのです。

　どうすれば、子どもが自分のことが好きになれるかというと、自分のことを好きになってくれる人に、たくさん恵《めぐ》まれることだと思います。子どもにとってはそれが非常にだいじなことです。お母さんは僕のことを好きだ、お父さんも僕のことが好きだ、保育園、幼稚園の先生も、友達の何ちゃんたちも僕のことを好きだ。だから僕もお母さんのことが好きだ、お父さんのことも好きだ、先生や友達のことも好きだ。そして、なによりも僕は自分自身のことが好きだ、というのがいちばん健全な状態なのですね。

　そういう意味で、子どもが小さい時期の保育、育児をしていらっしゃる人の仕事の価値の大きさと、教育的な意味の大きさというのは、その後の小学校、中学校、高校、大学の比ではないのです。その子どもの生涯《しょうがい》を考えたうえでの、人間教育という意味では、決定的にちがうのです。あとからする教育は人間教育というよりは、知識や技術の教育です。すぐれた教育者は人格教育もしますけれども、人格のもっとも基本のところは、保育園、幼稚園の時期に育つのだということです。このことをみなさんは、よくわかっていただきたいと思います。

保育の仕事にたずさわるということは、子どもが好きだから、こういう仕事を選ぶわけですね。子どもがきらいだけど、保母さんになってしまったという人は、私はいないと思うのです。動物がきらいなのに、獣医《じゅうい》さんになってしまった、乗り物が大きらいなのに、電車の運転士になってしまったという人もいないと思うのです。

そして、みなさんが日常なさっている仕事は、「この子に人を信じることができ、自分を信じられる子にするためには、どうすればいいのか」を考えることです。ようするに、子どもの幸せを考えることなのですね。子どもの幸せを考える仕事の前提には、まず、みなさん自身が幸せである必要があります。

自分が幸せでないのに、相手の幸せを考えることができるなんていう人は、いないだろうと思います。自分が幸せであるためには、自分が人から愛されていなくてはいけないのです。自分が親から愛されている、友達から愛されている、いろんな人からだいじにされているという実感が自分になかったら、子どもをたいせつにする、幸せにする、愛するという気持ちにはなれないと思います。そのことをみなさんは、だいじに考えなくてはいけないのです。

ですから、まず、ご自身の幸せを考えてくださるといいのです。そのためには日ごろから、精神衛生《えいせい》がよくなければいけないということです。そうでないと不機嫌《ふきげん》だったり、いらいらしたりして、子どもに冷たく対応したり、意地悪したりするということになりがちですよ。まずみなさんは、ご自分で自分は幸せだろうかと、自分に問いかけてみてください。

自分の希望をかなえられた子とそうでない子

自分の希望を十分に満たされなかった子どもは、それだけ人にたいする不信感と、自分にたいする無力感が大きくなります。それから、自分に自信のない子どもになります。さらに、まわりの人が信じられない子どもになります。こういう感情をもってしまう過程については、前にもお話してきましたね。そういう子どもが成長したときに、どうなるかということも考えなくてはいけないことです。

そういう子どもたちのことですが、たとえば保育園でなにか悪いことをしたという場合、私たちはしかりますね。その子が明らかに悪いことをしたり、ルール違反《いはん》をしたというときに、みなさんがしかったとします。そのとき、その子がまわりの人に不信感の強い子であれば、敵意《てきい》と攻撃的《こうげきてき》な感情をもちやすいのです。そして、ひねくれたり、すねたり、いっそう劣等感《れっとうかん》をもったりというような感じになってしまいます。

ところが、乳児期に自分の希望が満たされる保育をされてきた子は、「K子ちゃん、それはいけませんよ」としかっても、「はい」、「あ、いけない」と、それだけの気持ちですんでしまうのです。それは、相手の人にたいする基本的な信頼感《しんらいかん》が大きいからです。そして、しかった先生に、敵意《てきい》や攻撃的《こうげきてき》な気持ちをもたないし、ひがんだり、すねたり、劣等感《れっとうかん》をもったりという、感情のゆがみのようなものも残さないのです。

相手にたいする不信感と、自分にたいする自己不全感、劣等感《れっとうかん》などが強い子どもの場合は、残念ながらそういきません。ですから、そのまま大きくなってしまえば、

しかることがとてもむずかしくなります。そして、しつけをすることが徹底的《てっていてき》にむずかしくなります。極端《きょくたん》なことをいえば、しつけられないという状態にもなります。もういちど、乳児的な依存《いぞん》状態からやり直さなければならない、ということにもなるのです。ようするに、どうしてあげたらこの子は、人を信頼《しんらい》する子どもになるのだろうかということから、やり直しをしなければなりません。今日《こんにち》、保育園にはそういう子どもがたくさんいると思います。したがって、小学校にいくようになって、親や先生にしかられたり、しつけをされたり、訓練をうけたりするときに、子どもたちがどう反応するかは一人ひとりちがってくるのです。

子どもをしからないがまん

そういう子どもはどういうことをしがちかと申《もう》しますと、周囲の人に自分のほうに目を向けてもらおうという気持ちをいっぱいもっています。ですから、保母さんに目を向けてもらうには、手段を選ばずどんなことでもするということがよくあります。自分のほうに、保母さんの目を向けてもらういちばん効果的《こうかてき》な方法は、保母さんがいちばんいやがることをわざとすることです。目だけは向けてくれますから、こわい目であるかもしれませんけれども。そういうことを注意獲得《かくとく》行動といいます。アテンション・アースキング・ビヘイビア、こちらに注意を向けてくださいという行動です。

小さい子を押《お》し倒《たお》してしまうとか、危険な物を投げてしまうとか、バケツの水をわざとひっくり返してしまうとか、ようするに、はっとするようなことをわざとするわけです。こちらからみると、欲求不満の大きな子ですから、わざわざ不快なことをさがして、やっているような子にみえます。そういう子はしかればしかるほど、そういうことがエスカレートしていきます。

人生の最初の時期に、人を信じることができるようになった子どもと、そうでない子どもでは、二歳、三歳、四歳と、だんだん大きくなるにつれて、そのちがいは大きくなっていきます。人を信じることのできない子の育児は、下手《へた》をすると、どんどんむずかしくなります。そしてこちらからみると、しかりたくなるようなことばかりを、わざとくり返すようにみえます。

しかし、そこでしからないでぐっとがまんして、ああこの子はこんなに愛にうえているのだ。愛情のこもった目でみてもらおうと思っているのだ。相手の気持ちを、なんとか自分のほうに向けてもらおうと思っている子どもなのだと、ふびんに思ってあげてほしいのです。けれどもいそがしいときに、かわいげのないことをつぎつぎやってきますから、ついこちらもしかりたくなるわけです。

子どもが人のいやがることを、わざとやるということは、こんなことをしても、僕のことを愛してくれるかなということを、確かめているわけです。おそらく、みなさんの園にも何人か、ふっとすぐに思いうかぶ子がいると思うのです。そういうかわいげのない子、職業意識をもたなければ、かわいがりたくないような子どもを、どうか

わいがるかというのも、プロのプロたるゆえんなのです。そこがとてもだいじなところです。かわいげのない子どもというのは、自分自身が優《やさ》しくしてもらわなければ、かわいらしさというのは身についてこないのです。

かわいげのないことをする子を、だれだって感情をもった人間ですから、かわいがれないということがあると思います。しかし、少なくとも腹を立てることだけはしないで、ふびんな子だと思ってあげるくらいは、職業人として必要なことだと思います。

本当にかわいい子というのは、愛されているからかわいいのです。生まれつき器量《きりょう》がいいからかわいいのではないのです。人を信頼《しんらい》しているからかわいいのです。たまたま、悪さをしたときに、「だめでしょ」としかっても、それをすっと受け入れてくれるし、こちらにうらみをもたないし、わざとこちらの関心をかうために、とんでもないことをすることはしないわけですから、かわいいのです。そして、そのような子どもは手がかからないし、ちゃんとどこかで自立して遊んでいてくれるのです。

要求のある子どもには、その要求を満たしてあげなければ、つぎのステップにはいけないのです。一時的にはみせかけの前進というのをしますが、残念ながら本当の発達ではないのです。そういう意味では、子どもが健全に育っていくためには十分に依《い》存《ぞん》体験をする、自分の望みを十分かなえてもらうことによって、人を信じ自分を信じ、自立をしていくという、最初のステップがあるということです。

はじめに親の幸せを考える

今年の梅雨《つゆ》にはすごい雨が降りましたね。どしゃぶりの日もありました。バケツの水をひっくり返したようなという表現が、ぴったりするようなある雨の日のことです。

お母さんが保育園の園庭をはさんだ向こう側の門の前まで、車で子どもを送ってきました。そして、車のドアをいそいで開けて、子どもに「さあ走っていけ」といって、保育園まで走らせたそうです。そのあとお母さんはそのまま、車でいってしまいました。ものすごい降り方ですから、その子どもが部屋に着いたときには、プールにでも落ちたときのように洋服がずぶぬれだったそうです。「これはたいへんだ」と、保育園では替《か》えの洋服を着せて、一日をすごしたというのです。

夕方、お母さんが子どもを引き取りにこられたとき、保母さんが「あれはちょっとひどいんじゃありませんか」といいましたら、「だって、二人ともぬれてしまうよりましでしょ」といったそうです。これもたしかにひとつの理屈《りくつ》ではあります。

かさをさして、子どもを送ってくるという発想がないのかと、園では思ったそうですが、そのときのお母さんの気持ちとしては、かさをさそうがなにしようが、子どもをそこまで連れていったら、二人ともぬれてしまうと思ったのかもしれません。それならば一人だけぬれるほうがまだいいと思って、「そら、走っていけ」と、こういったのでしょうね。いわれてみればそうかもしれません。

ある危機的な遭難《そうなん》か事件があって、二人のうち一人しか生き残れないというときに、

二人とも死んでしまうよりは、一人でも生き残ったほうがいい、という発想かもしれません、これは。いま、お笑いになったみなさんは、そのお母さんとは感性がちがうわけですね。ちがいますけれども、だんだん私たちの発想や感性もそういう方向に向かっていくでしょうし、やがてそういうことが、それほど不自然でもなくなってしまうかもしれませんね。けれども、かつてはこんな発想をする人は、ほとんどいなかっただろうと思います。たいていのお母さんは、子どもといっしょにぬれようと思ったでしょうね。

保育園にうかがっておりますと、いろんなエピソードがあるものですね。みなさんの保育園にも、たくさんエピソードがあるでしょうが、こんな場面にみなさんが立ち会ったとき、どうするかを考えていただきたいと思うのです。

現代のお母さんで育児の上手《じょうず》な人は、たいていいろんな人との関係が、うまくいっているお母さんです。ですから、本当にみなさんは育児のうまくいかないお母さんを支援《しえん》しなければいけないのです。みなさんに必要なことは、そういうお母さんを愛せるか、思いやってあげられるか、あえて申《もう》し上《あ》げれば、そういうことなのです。

ところが、自分の子どもを車のなかにおきっぱなしにして、何時間もパチンコにとりつかれてしまうような親と話すとき、つい、親はとんでもないことをやっていると感じてしまいがちです。しかし、そのときに、その親も子どものころに、ほぼおなじ運命にあってきたのですし、いまも、もしかしたら周囲から思いやられていないのかもしれないのです。ですから、その子どもをふびんに思うのとおなじ感情を、親にも

もってあげられたらいいですね。お母さんのこともおなじように思いやってあげるということは、なかなかむずかしいことかもしれません。けれども、少なくとも子どもたちの親を敵にするということは、しないでいただきたいと思うのです。

私たちが臨床《りんしょう》をやるときもそうなのです。その親だってきっと、そういうふうにされてきたのですよ、たいせつにされて育てられてきた親が、自分の子どもにそんなふうにするはずはないのですから。私たち子どもの精神科の医者というのは、保育をするみなさんのように、いつも子どもの味方になろうとするものなのです。しかし、そのために、親を敵にしてしまうことがあるのです。保育者にもそういうところがありえるのです。しかしそれでは、本当の子どもの味方にはなれないのです。子どもの味方をするあまり、親を敵にしてしまうことがあってはならないのです。

親と子どもの両方の幸せを考える

私は若いころ、カナダの大学病院で子どもの精神医学の訓練をうけたのですが、これはいい訓練をうけたと自分で思っていることがあるのです。ひとりの子どもと親がきたとしますね。そうすると、たとえば、私が子どもの係をするると、もうひとりの同《どう》僚《りょう》の若い医者が親の係をするのです。それからスーパーバイザーがいるのです、上級の医師がいるのです。そして私は子どもの係ですから、子どもの幸せばかりを考える

のです。もうひとりの医者は、子どものことなんかそっちのけで、親の幸せだけを考えるのです。そして議論するのです、そこで上級の医者が裁断《さいだん》するというわけです。

そしてある日、立場を変えるのです。こんどは、私が親の幸せだけを考える。もうひとりの医者は子どものことだけを考える。ようするに、ふたりの医者が親の幸せ、子どもの幸せの両方を徹底《てってい》して考えるのです。そうやってさんざん訓練をうけた医者がはじめて、両方の幸せを考えることができるというわけです。子どもの精神医学はそうやって訓練をうけるのです。

医学部を卒業して精神科の医者になって、児童精神科の専門医のコースに入ろうとしたときに、カナダでそういう訓練をうけたのです。

親の幸せをないがしろにして子どもの幸せは、考えられないのです。二十四時間、三百六十五日、子どもを引き取ってあげるならいいですよ。しかし、毎日親のところへ返すのに、その親を幸せにしなければ、子どもは幸せになれるはずはないのです。ですから、親を幸せにするためにはどうするかという訓練を、まず、うけなければなりません。子どもの幸せを考えるということは、かならずそういうことになります。

もっと考えますと、はじめは、子どもには手をつけなくていいのです。親の幸せだけを考えるところから入っていくのです。逆から入っていっても、なかなかうまくいきません。私はこういう訓練をさんざんうけました。親の幸せを考えないで、子どもの幸せだけを考えても、これはぜったい子どもを幸せにすることはできないのです。子どもをそっちのけで、親の幸せだけを考えるという訓練をうけてきました。

みなさんにも、こういう訓練はぜったい必要なのです。といいますのは、子どもを不幸にしてしまう親は、親自身もきっと不幸な子ども時代をへてきたのです。ですから、まず、その親に思いやりを投げかけてあげなくてはいけないのです。けれども、私たちは目の前にいる子どもがふびんで、こんなひどいことをする親ってなんだ、と思ってしまいます。

本当は、保育園などでは、そのお母さんになにもしてあげられないのかもしれません。けれども、お母さんも苦労してこられたのだろうなと、心底《しんそこ》から思って話しかけているだけでいいのです。それはつうじるものです。そのお母さんの子ども時代は、どんなだったのだろうということを、心から思いやって、日常的に話を聞き、相槌《あいづち》をうってあげるだけでいいのです。人間というのはつうじるのです。その人が自分に好意をもっていてくれるか、不快感をもってみているかということは、かならずつうじると思います。

それはたしかにむずかしいことです。ですから、教育とか保育とか、医療《いりょう》とか福祉《ふくし》とか臨床《りんしょう》にたずさわる者は、それが訓練ですよ。医者でいえば、注射がうまくなるとか、手術がうまくなるとかいうように、それが訓練だと思うのです。本当にそうですよ、それがプロというか職業人なのです。

人が好きだから教育にたずさわり、保育にたずさわり、子どもが好きだから保育者になったのでしょう。けれども、根は人が好きなのですね。ですからちょっと心がければいいのです。人ぎらいでは教育とか保育とかの仕事を選ぶ人はいないでしょう。

たまにはいるかもしれませんが、そういう人はめったにいないと私は思うのです。ですから、初心《しょしん》を忘《わす》れないでおくことですね。

最善をつくすことに喜びを

私は保育の現場や学校などで、いろんな人と会ってよくお話をします。そのとき思うことなのですが、一般的《いっぱんてき》に、子どもにたいしてこうしないと気がすまない、こうさせないと気がすまないと考える保育者や先生たちが案外多いのですね。ところが、医《い》療《りょう》関係の人はかならずしもそうではないのです。医者がこの患者さんの病気を治したいと思っても、治らない人は治らないのですね。ですから、どうにもならないことがあるということになれているといえば、なれているかもしれません。がんの手おくれの人とか、あるいは筋《きん》ジストロフィーなどのように進行性の病気の人とか…。

ですから、そのときどきで、最善をつくせばいいのだという思想が、教育や保育よりも医療《いりょう》にたずさわる人には、わりあいあると、私は思うことがあるのです。最善をつくしていれば、いいと思うのですけれども、教育や保育の現場の人たちには、最善をつくして思うような結果がでないと、腹を立てる人がいるのです。医療《いりょう》従事者にはよくならない患者に、腹を立てている人というのは、あまりいないのです。

最善をつくすことに意味があって、いい成果が生れなくてもいいのだとはいいませ

んけれども、最善をつくせば、それなりに成果はでてくれるわけです。確かに、努力のわりにはよくならない、あるいはどんなにがんばってみたところで、三か月ほど先に命がのびる程度ということもあるわけです。けれども、もうどうせだめだからと、投げだすのではなくて、三か月の延命効果をだすために、最善をつくすということをするわけです。これは、ひとつは医療《いりょう》が絶望的な患者さんを治療《ちりょう》することに、なれているということがあるかもしれません。

できれば、私は、保育の現場も教育の現場も、成果があがらなくても最善をつくすことに、喜びを、生きがいを感じていただくことがだいじなことだと思うのです。もっと親がこうすればとか、自分以外のだれかがどうすればとか、まして、子どもがこうなってくれればと、あまり思いすぎないで、ただ子どもや家族のことを思いやって、これしかないと最善をつくすことなのです。もっとも、ほかのところへいってどうすれば、この子がどうなるということが、はっきりとわかっていればそれは別のことですが、そうでない場合には、もうそれでいい、だけど最善をつくしてみるということを、やっていただくのが、いちばんいいのではないかと思うのです。

基本的に、保育、育児の現場にいるみなさんにとってたいせつなことは、その子にどういう愛の手をかけられるかということです。そのためには、自分に愛の心がなくてはなりません。そして愛の気持ちは、なによりも自分が愛されることによってしか生まれてこないのです。

お母さんへ、お父さんへ

育児をするのはだれ

私は昭和一〇年生まれですが、私の両親は明治生まれです。私の母は四六時中、働いていました。私が幼かったころ、母が手を休めてなにかをしているということは、ほとんど思い出せないですね。野良《のら》仕事をしている、洗濯《せんたく》をしている、炊事《すいじ》をしている、夜なべのつくろいをしている…、ほとんど働いていましたね。両親の働きづくめでいる姿を、ずっとみておりました。学校から帰れば、親は野良《のら》仕事にいっていなかったのです。おやつのときはどこの畑にきなさいなんて、書き置きがしてあるといったぐあいでした。ですから、女性が働く時代というのは、いまの時代だけをいうのではなくて、どの時代にも、女性は働いていたのです。したがって、女性が働くから育児がどうなるとか、こうなるとか考えるのは、これはまちがいなのだと思います。

働くから育児がうまくいかないのではないのです。働いているお母さんのほうが、育児が下手《へた》なのではないのです。専業主婦で育児が下手《へた》な人もいっぱいいるのですから。このことは、もし、まちがった考えをしていらっしゃる人がいたら、訂正《ていせい》していただかなくてはいけません。保育園に子どもを預けているから、育児がうまくいかないのだとか、子どもがうまく育たないかもしれないという不安は、まったくもつことはありません。

また、育児はお母さんがすべてやるものだというふうには、私はまったく思っておりません。いろいろな家庭があるわけです。それぞれの家庭で、夫婦で十分話し合っ

て、役割を分担をして育児をする家庭もありましょうし、おおむね母親が育児の中心をにない、父親が母親をサポートするという関係でもいいのです。

私は、父親はどうあらねばならないかということは、原則として決められるものではないと思っています。妻である母親との組み合わせで決まることではないでしょうか。けれども、そのことに、夫婦がそれぞれの家庭で、合意し合っていることがだいじなのです。男はこうしなくては、女はこうしなくてはということでなくていいのです。ただし、ちゃんと合意し合って生活していれば、それぞれがちゃんと健康に機能するのです。

個人的には、私は幼児期までは、絶対的に母親の存在に大きな意味があると思っています。妊娠中《にんしんちゅう》をどういう状態ですごすとか、どういう出産体験をするとか、それに続く母性衝動《しょうどう》や授乳や、赤ちゃんへの絶対的受容《じゅよう》といった一連《いちれん》の子育ては、父親にはぜったいに機能できないことだと思っています。たとえできても、それは、あくまで代用的な機能です。もちろん、その代用的な機能以下のことしかできない母親が、今《こん》日《にち》、たくさんいることも知っています。それを承知《しょうち》のうえでの話です。ですから、父親の役割というのは、そうした母親、あるいは母子の関係を心理的に支える役割という意味で、非常に大きいといえます。

お母さんというのは、安心できるいい夫に恵《めぐ》まれたときに、いちばんいい母親になれるのです。どんな親でも自分の子どもに期待し、子どもに生きがいを求めます。しかし、夫婦がおたがいに相性《あいしょう》がよければ、夫婦の生活はしっかりと存在しますから、

子どもに自分の思いどおりになってもらおう、というような関係の深入りをしないですみます。夫との関係が深ければ、それだけ、子どものありのままの姿を尊重しやすくなるわけです。ところが、夫を受け入れられなければ、その満たされない部分を子どもに求めることになります。もっともっといい子になってほしいという、子どもにとっても親にとっても、たいへん不幸な悪循環《あくじゅんかん》としての過剰《かじょう》期待に、はまりこんでしまうことがよくあります。

子どもとのいまの時間をたいせつに

本来、親が育児する喜びというのは、二つの観点があると思うのです。ひとつは子どもに期待できる喜び、もうひとつは、子どもを幸せにすることができる喜びです。このときに、できることなら、子どもを幸せにできる喜びのほうを、ずっと大きくもって、子どもに期待する喜びは、小さくしていただきたいと思います。親が子どもに期待する喜びを、大きくもってしまった場合に、子どもからみると条件つきの愛情になるわけです。そして、その期待が過剰《かじょう》になってしまうと、子どもは愛されているという実感をなくしてしまいます。

将来、幸せになるということもだいじですけれど、それよりはるかに何倍も、いま、この瞬間《しゅんかん》を、この子が幸せにすごすことができるようにという育児のほうがいいので

す。この子の将来をうんと幸せにしてあげるために、いま、がんばらせておこうというのは、子どもが幼いうちは往々《おうおう》にしてよくないのです。

いま、この瞬間《しゅんかん》を、幸せにしてあげよう、その積み重ねが、この子の幸せになるのだという育て方がいいのです。そして理屈《りくつ》ぬきで、育児を自然に楽しんでできれば、これはもう理想的なお母さんだと思いますね。

問題は、子どもと接している時間を、どうすごすかということです。朝、保育園に預けて、夕方引き取りにいってというぐあいに、子どもとすごせる時間がたとえ短時間でも、あるいは休日ぐらいしかないとしても、その時間に子どもとどう接するかがたいせつなのです。そのときに、子どもが僕のお母さん、お父さんはこういう人なのだという、いいイメージをもてれば、それで子どもはうまく育つと思います。

それは専業主婦であろうと、職業をもって育児をしているお母さんであろうと、まったくおなじことです。ひとことでいいますと、育児をするというのは、子どもとの関係を、どうするかということなのですから。子どもの側からみますと、いいお母さんが四六時中、自分のそばにいてくれる、これはいいことにちがいありません。しかし、四六時中なんかいなくとも、私のお母さんはこういう人なのだという、いいイメージをもてれば、子どもはちゃんと育っていくのです。

本当は、子どもとすごす時間が少なければ少ないほど、子どもといい関係をもとうという気持ちが必要なのですね。ところが現実には、こういうこともあるのです。ある保育園でのお話です。ある母親が、「これから、土曜日は仕事がお休みになりまし

たから、子どもを保育園に預けなくてよくなりました。子どもは自分の家で、面倒《めんどう》をみます」、こうおっしゃったのです。

ところが、お昼どきになったら「食事だけ食べさせてください」と保育園にやってきたのです。この子がいては両親がゆっくりレストランで食事ができないからというのが理由です。これはみなさん、やっぱり、おかしいと思われるでしょう。しかし、やがて、これはおかしいと思わなくなりますよ、おそらくそうなると思いますね。

保育園側ではお母さんに、「それでは困る」といいましたら、「それなら、こんどからは朝から預かってください、そうすればお昼は食べさせてもらえるのでしょう」、こういわれたというのです。これは確かに、そのとおりです。なまじ、朝から自分の家で子どもの面倒《めんどう》をみたために、お昼を食べさせてもらえないのだったら、こんどからは、朝からお願いしますよと、こういうことになりますね。

少なくとも、その母親の感性のなかでは、保育園から感謝されることがあっても、非難されることはないと思っていたようなのです。わかりますか、昼間の保育は自分が手伝ったのです。昼食だけをお願いしたのです。確かに立場を変えてみると、そういう感情もなんとなく成り立つでしょう、いわれてみればそうかもしれない。その母親は少なくとも、保育園に迷惑《めいわく》をかけたことはまったくなく、逆だと思ってるのです。もし、それで保育園側に不都合《ふつごう》があるのだったら、じゃ、朝から預かってください、それならば文句《もんく》はないのでしょうという、こういう感情なのです。本当は朝から夕方まで、子どもを預ける権利があるのに、昼食時だけの権利を行使しただけなのにとい

う思いですね。

けれども、一般的《いっぱんてき》な感情からすれば、やっぱり変だと思いますよね、ちょっと変だなと思われた人が多いだろうと思うのです。お母さんが一日、子どもといっしょに生活するのなら、どうしてお昼ぐらいお母さんがつくってあげて、お昼をいっしょに食べられませんかという気持ちになります。たいていの人はそうだと思うのです。

しかし、そうでない人もいるわけですね。だんだんそういう人が多くなるかもしれません。そういう考え方をする人が多くなってしまえば、多数が正しいということになり、そのうち、それがふつうの感情になってくるかもしれないですね。民主主義は多数決ですから、多数の人がそういう感情になったら、それが常識ということになるかもしれませんね。親が年老《お》いたときの親子関係は、もうすっかりこういうことになっていますね。

しかし、子どもの気持ちというのは、お母さんやお父さんに、ちょっとしたことをしてもらったということ、また、してもらえなかったことは心の深いところに残るものなのです。せっかく親が家にいる日なのに、昼食をいっしょに食べられないのは、子どもにとってさびしいことでしょうね。

やはり、保母さんから聞いたお話なのですが、休日のつぎの日に、「お休みのときなにをしていたの」と、子どもたちに話してもらうことがよくあるそうです。すると、子どもたちは「ディズニーランドにいった」、「シーパラダイスにいった」、「デパートに買い物にいって、いいものを買ってもらった」などと口ぐちにいいます。そのなか

で、とても印象的だったのは、「きのうね、お母さんがつめを切ってくれたの」という子どもの話でした。お母さんのひざの上にだっこされながら、お母さんの肌《はだ》のあたたかさを感じながら、つめを切ってもらった記憶《きおく》が、とてもいいイメージで、その子どもの心に残ったのでしょうね。そういう言い方だったと保母さんはいっていました。

どこか遠くへ連れていかなくても、なにか特別なことをしなくても、子どもの心にとどく、親子のふれあいはできるのですね。子どもといっしょにいる時間を、たいせつにする気持ちがあれば、子どもにきっと伝わるのです。保母さんの話を聞きながら、こういうお母さんがもっとふえてくれるといいと思いました。

子どもがやすらげる親の愛情

幼い子どもにとって、母親は生きていく寄りどころとして、かけがえのない基本的な存在です。子どもが健全に育っていくために、母親にたいして、どれだけプラスのイメージをもつことができるかが、とても大きな意味をもちます。

親の側からは、自分の子どもをまるごと、そのまま承認《しょうにん》できるかという問題があります。それは、子どもにたいして、「こうあってくれたらいい、ああでなくてはいやだ」と、そういう気持ちをもちすぎないことです。これは親のあり方の理想ですよ、けれども、それにちかづける親ほど、子どもにとってやすらげる親なのです。条件つ

きでない愛情を与《あた》えてくれる、こういってもいいと思います。「ああでなくてはいやだ、こうでなくてはいやだ、こうあってほしい、あああってほしい」という気持ちがない親というのはいませんが、子どもが安心できる親は、それが小さいということです。ありのままの子どもで十分満足だという気持ちに、親がどれだけなれるかということがたいせつなのです。

　そのことは、子どもにとっては最高のやすらぎです。ありのままの自分で、親は喜んでくれるわけですから。頭がいいとか悪いとか、器量《きりょう》がいいとか悪いとか、勉強やスポーツがよくできるとか、できないとか、そういうことをあまり条件にしないで、気にいってもらえるということです。

　これはなにも、母親だけの話ではありません。私は父親として、そうあろうとしています。そして、妻にも、子どもにとって、そういう母親であってほしいと、願っています。そういうふうに努力してきました。なぜかというと、子どもはそれで最高にくつろげる、安心できるわけです。欠点や弱点をまるごと、かくしだてしないでいられる子どもは、そういう親の前ではやすらいでいられる、自分が受け入れられているということなのですから。ということは、相手にたいする信頼感《しんらいかん》もそれだけ大きくなるということです。

　人はこれを、理想的に完全にはできないのです。できないけれども、よりよくできる人とできない人がいるわけです。けれども努力してみようということがだいじなことなのです。

条件つきでない親の愛を

私たちは子どもをしつけるとか教育するとか、いろんなことをするときにも、いまよりも、一歩前進ということを、たえず子どもに期待するわけです。けれども、その期待は子どもにたいして、「こうなってくれなくてはいやだ」とか、あるいは、「早くそうなってくれなくてはだめだ」とかいうのとはちがうのです。子どもに一定の成長や発達をうながしながら、けれどもその早さや限界は、子どもの歩《あゆ》みのままでいいというふうに、子どものありのままの状態を、親が本当に満足して、受け入れてあげられるかどうかが、たいせつなことなのです。

もうひとつたいせつなことは、子どもの望むことを望んだとおりに、どれくらいしてあげられるかということです。子どもが望んだら、そのとおりにしてあげればいいのです。それは子どもをあまやかすことだし、その結果、過保護にしてしまう、子どもを堕落《だらく》させてしまうと心配している人がいます。子どものいうことを聞いてあげすぎたら、子どもは依頼心《いらいしん》が強くなって、自立しないのではないかという誤解《ごかい》というのは、非常に根深《ねぶか》いものがあります。そんなことはぜったいないのです。おんぶとかだっこというから、そのたびにしてあげたら、子どもが歩けない子になったなんてことは、けっしてありませんね。おんぶといったとき、おんぶしてもらえる、だっこといったとき、だっこしてもらえた子どものほうが安心して、自分を信じて自立していくのです。

では、そういう愛情がたりないと、なぜ自立しないのだろうか、こういうことを考えてみてください。子どもは自分で望んだことを、望んだとおりに十分してもらうことなしに、自発的に強い自立の意欲をわかせないのです。いわれたことを不承不承《ふしょうぶしょう》、最低限度にやろうという感情にしかならないのですね。この関係はやってみるとよくわかりますよ。

子どもの望んでいることをわかってあげる

ある保育園で勉強の会がありましたとき、夕方、出入り口のみえる職員室で、お母さんやお父さんのおむかえの様子をみていました。

ときどき、「おんぶして」とかいっている子どもがいるのですね。そうすると、ひょいと、おんぶしてあげるお母さんやお父さんもたまにはいます。ところが、たいていのお父さんやお母さんは怒《おこ》っています。「なにいっているの、足があるでしょう」なんて怒《おこ》っているのです。足があるのは、本人も知っているし、歩けるのも知っている。ところが、おんぶしてもらいたいという気持ちがあるわけですね。

そういう子どもをみていて、園長先生は、あの子はK子ちゃんだとかB君だとかいっていました。それで、みんなが帰ったあとに、K子ちゃんの担任の先生とか、B君の担任の保母さんに、「きょう、なにかなかったですか」と聞いてみるわけです。

そうすると、いつもは、ちゃんとさっさと歩いて帰る子どもが、「おんぶして」というような日は、たいていは、ちょっと悲しいことか、つらいことがあった日のことが多いのです。何ちゃんとけんかして泣かされちゃったとか、先生に怒《おこ》られちゃったとか、そういうことがよくあるのですね。いつも、ちゃんと歩いて帰るのに、その日にかぎって、おんぶしてとか、ぐずぐずしているというのは、たいていの場合そういうことがあったときです。

本当は、気持ちをなぐさめられたいだけなのです。家までずっとおんぶしていけと、いっているのではないのです。おんぶをちょっとしてあげれば気がすむことなのです、気持ちをいやしたいだけなのです。

これは大人にもある感情でして、会社で仕事がうまくいかないことがあった、上司《じょうし》に怒《おこ》られた、とてもいやなことがあった、取り引きで失敗したなどというようなことがあったときに、家に帰って奥さんにいやされるご主人は、さっさと帰っていきます。帰ってもそれが期待できない場合は、寄り道してバーのママさんなんかに、なぐさめられていくのです。高いお金をはらって、なぐさめられていくのです。

なぜそういうところにお金を使うのかというと、バーのママさんなどは、相手のいうことに異論や反論をはさまないで、ぐちゃぐちゃした愚痴《ぐち》を聞いてくれるからです。話をすべて受容《じゅよう》してくれるからなのです。

親をふりまわす子

たとえば、お菓子屋さんやおもちゃ屋さんの前で、だだをこねている子どもというのも、たいていは、家ではだだをこねられない子どもです。家で子どもが望むことを、せいいっぱいやっていると、外へでたときには、親が望むことをよく聞いてくれる子どもになります。それはまちがいありません。ところが、家で子どもの望むことをきちんと聞いてあげないと、子どもは外で自分のいうことを聞いてもらおうとする、ということを聞かせようという行動をしますね。

ですから、親がふりまわされているというのは、いってみれば聴衆《ちょうしゅう》を自分の味方につけて、ふだんいえないことをいっている、極端《きょくたん》なことをいえば、親にたいして仕返《しかえ》しをしているのです。子どもには仕返《しかえ》しをする、復讐《ふくしゅう》をするという強い意識があるわけではありません。けれども、潜在的《せんざい》には相当強いそういう気持ちがあるのですね。

ですから、ふだんの家庭内での育て方がたいせつでして、子どものいうことをよく聞いてあげておくことが根本的にたいせつなことですが、突然《とつぜん》、外出先で問題がおきたとか、子どもがだだをこねたというような場合はしかたありませんね。

こういう場合に、下手《へた》な対応というのは、親も根気《こんき》がなくなって、あれこれさんざんしかったあとで、子どものいうなりに、ゆずってしまうということなのです。うんと怒《おこ》って、頭の一つ二つもたたいたりして、結局は根負《こんま》けして子どものいうとおりになってしまった、ものを買ってあげてしまったというようなことです。これでは事態《じたい》

はちっともいいほうにいかない、むしろ悪いほうへいく、しかってゆずるというのが最悪です。

最善はしからない、ゆずらないというのがいいと思います。その二つの中間が、とうとうゆずってしまった、こっちが根負《こんま》けして負けてしまった、けれどもしからないですんだ、これが中ぐらいでしょう。ですから、みなさんは子どもにたいして、できるだけしからないけれども、ゆずらない、だめなことはだめと負けないで根気《こんき》づよく、止めるべきものは止めるという気持ちでいるのがいいのです。泣いたら泣いたことをしずめてあげるだけで、「泣かないの、泣かないの」なんていう必要はないのです。泣きたければ泣きなさいと、それでいいのです。そんな気持ちでゆったりと、見守ってくださるといいのですね。

ですから、お母さんは家に帰ったときには、その子が望むことをどれくらいしてあげられるかが、たいせつなことなのですね。お風呂でゆっくり遊びたいといったら、その子といっしょに、ゆっくりと入ってあげられるかどうか。おふねをもって、バケツをもって、ジョウロをもってゆったりと遊ぶことができるかどうか。あるいは、夜、お母さんといっしょに、添《そ》い寝《ね》をしてもらって休みたいといったら、そうしてあげられるかどうか。食後にテレビをみるときに、お母さんやお父さんのひざにのっかって、テレビをみたいといったら、親がそのことを、ゆっくりさせてあげられるかどうかということが、ひとつひとつだいじなことなのです。

そういうことをみんな切り捨てていると、別のところで、子どもは欲求不満を親に

向かって、ぶつけてくるということになります。保育園の保母さんにたいしてもそうします。ようするに、前にもお話しましたアテンション・アースキング・ビヘイビアといいます。アテンション・プリーズ、こっちをみてください、というようなことをつぎつぎにやるわけです。

ところが、ちゃんと自分に注意が向けられて、親からたくさんアテンションが向けられている子どもは、そんなことしないですむわけです。保育園の子どもをみていてもわかるのですが、親からちょっとした注意が向けられることで気がすむ子どもは、たくさんいるのですから、もっと目を向けてあげたいものです。

自分のやりたいことがいっぱいある親たち

現代の若い両親は、子どもに目を向けてあげることが、できなくなりつつあります。それは、なぜかといいますと、今日《こんにち》の日本の風潮《ふうちょう》のなかで、ずっと若いときから、親自身が自分の楽しみを生活の中心にするという習慣が身についているからです。ですから、子どもが生まれたとしても、日常の関心は、子どもが求めているほど育児には向かないで、自分の興味とか趣味に向かってしまいがちです。

貧しい時代には、貧しさのために、自分の生活、自分の希望を抑制《よくせい》して家庭のためにとか、家族のためにとか、地域社会のためにとか、村のため町のために、なにかを

するということがありました。ですから、自分の子どものために、あるいはだれかのために、親自身の希望などをおさえることや、がまんするということは、すでに社会のなかで自然に学習できていたと思います。

ところが現代では、そういうことはいっさいないのですね。小学生、中学生、高校生、大学生が家族のためになにか行動するということは、おそらくないだろうと思います。する必要がないのですからね。自分の生活を、非常にエンジョイできるようになっているわけです。ですから、人のために自分の生活を制限するとか、自分の楽しみをがまんするとかいうことが、非常にできにくくなったのです。

けれども、人間というのは、自分の楽しみばかり求めても、本当の幸福は得られないのです。周囲の人の幸せのために自分が生かされていることに、喜びを感じることができるのが、人間としての幸福ですよね。

そうでないと親になっても子どもにたいして、そういう喜びが感じられなくなると思います。「仕事をして疲《つか》れているのに、そんなこといわないで」、「ご飯《はん》をつくってあげる、お風呂をたてる、これでせいいっぱいやっているのだから」、あるいは、「洗《せん》濯《たく》までしてやっているでしょう」と、親の気持ちもだんだん、すさむようなことになっていくでしょう。

なかには学生時代に、自分で自分のものぐらいは洗濯《せんたく》したという、りっぱな人もいらっしゃるかもしれません。ところが、ほかの人の分《ぶん》まで洗濯《せんたく》したなんていう人は、ほとんどいないと思います。それどころか、自分のものも洗濯《せんたく》してもらっていた人が

いる、きっとそういう人のほうが多かったと思います。そうなると、家族のものを洗《せん》濯《たく》するとか、家族の食事をつくるとか、家族がよごした部屋まで掃除《そうじ》するとか、家族の入るお風呂までたてるとか、そんなことを自然にできる感情も習慣もないわけです。

　そうした人たちが子どもができて、親になるわけです。そうすると自分の子どもの世話といっても、いっそうこれは、やりつけなかったことだということになるでしょう。現代人は、自分がやりたいことを個性的に実現できる生き方こそが、文化的な生き方だという風潮《ふうちょう》のなかで育ってきたのですから。

　そういう若い両親たちは、たとえ自分たちの子どもが、多少、経済的に貧しいときに生まれてきたとしても、自分たちの楽しみをがまんしなくてはいけないなんて感じないのです。子どもはかならずしも親が豊かなときに、生まれてくるわけではないのですけれどもね。ですから、現代の子どもは少なくとも、親が自分自身の希望を生活の中心にするようになった分《ぶん》だけ、子どもはスポイルされるわけです。その分《ぶん》をだれかがどこかで、おぎなってあげなければ、ゆがんだまま大きくなっていく、こういうことになっているのです。

　おそらく五年、一〇年先のほうがさらに、こういう傾向《けいこう》は強くなるだろうということは、もううたがう余地はありません。現状を維持《いじ》するだけだって、たいへんな努力がいると思います。おそらく、事態《じたい》は徐々《じょじょ》に悪くなっていくだろうと思います。

親がいってはいけないこと

子どもというのは、自分で望んだことを望んだとおりに、どのくらいしてもらえるかということが自立への基盤《きばん》です。ですから、私は子どもを預けて働くお母さんに、かならず申《もう》し上《あ》げることは、「お母さんは昼間、仕事でいそがしくて疲《つか》れているのだから、そんなことをいわないでちょうだい、がまんして自分でやりなさい」と、こういうことは、ぜったいいってはいけないということです。ぜったい、いってはいけないといっても、人はついいってしまうものです。しかしそれは、可能なかぎりいわない努力が必要なのです。

私は外で仕事をしていて、「疲《つか》れて帰ってくるのだから」と、父親としていちどもいった覚えはありません。そんなことは、子どもがすこし大きくなれば、わかるようになります。家に帰って、子どもがまとわりついてきても、それはそのまま子どもにゆるしておきました。子どもがほんの幼いうちだけですからね。「きょう、お父さんは疲《つか》れているから」とか、「夜おそいからだめだ」とか、「だめだ」ということを、できるだけいわないでいてあげることがだいじだと思います。帰宅すると玄関までよちよちでてきて、親の顔さええみればおんもという時期があります。それは一〇回なのか、二〇回、三〇回なのか、あるいは五〇回ぐらい続くのかわかりません。でも、その程度で終わってしまうのです。子どもはいつでも連れていってもらえるということがわかると、たいしておもしろくないのです。町内なんていくら歩いたって、そんなもの

しれているのです。しかも、暗かったりしたらよけいおもしろくない。気持ちが満ち足りさえすれば、子どもはもうそれでいいのです。ですから、幼い子どもの欲求というのは、できるだけ早く満たしてあげるのがいいのです。そうすれば、欲求はエスカレートしていかないのです。それが自立というものです。

仕事で疲《つか》れて帰ってくるかこないかは、親のかってなのです。子どもが願っていることではないのです。疲《つか》れて帰ってくる親の家庭に生まれたかったと、子どもはそう思って生まれてくるわけではないのです。子どもの側から、親を選択《せんたく》することはできないのです。親は産むか産まないかは選択《せんたく》できるのですが、生まれてくる子どもの側からは、親を選択《せんたく》できないのです。ですから、金持ちであるとかないとか、豪邸《ごうてい》に住んでいるとかいないとか、そういうものなんかより、はるかに重要なのは親の親としての気持ちでありまして、親の人間性なのでして、それが子どもにとって大きな心の財産なのです。

大きくなったときの受容《じゅよう》について

育児のうえで、とくにだいじなことは、乳幼児期がうまくいっていれば、あとは惰《だ》性《せい》でいくようなものだということです。学童期とか思春期は惰《だ》性《せい》でいくようなものです。けれども乳幼児期がうまくいかなかったときには、あとでいろいろなことをおぎ

なってあげなくてはいけないのです。それは、おそくなればおそくなるほど困難になります。時間もかかります。借金のように利子が大きくたまっていくからです。

しかし、いちどはどこかで、だれかに全面的に受容《じゅよう》されることを経験しなくては、子どもは本当は前にはすすめません。そういうとき親は、大きくなってからでも受容《じゅよう》してあげればいいのです。小学生になろうと、中学生になろうと間に合うのです。十分、それはやってあげるべきことなのです。

乳幼児期に親や保育者に、十分かわいがられていない子どもは、友達に意地悪をしたり、保母さんのまわりをたえず、ぺたぺたつきまとって行動します。本当は、こっちみて先生、こっちみてといっている子どもほど、みてあげなくてはいけないのです。

そのときに子どもの要求を十分に満たしてあげないと、すこし大きくなったときに、一見《いっけん》、赤ちゃん返りのようなことをするのです。思春期の若者が、赤ちゃん返りをするというのは、赤ちゃんをそのままやるわけではなくて、赤ちゃんのとき不足したことをおぎないながら、ようするに、人生の成熟《せいじゅく》のための借金を、返済してもらいながら成長していこうとしますから、赤ちゃん返りをすることがあるわけです。

ですから、小さい子どもがお母さんに、ぐずるようなだだをこねる。それがちょっとした暴力であったり、親にたいする激《はげ》しいののしりであったりします。小さい子どもがお菓子屋さんやおもちゃ屋さんの前で、だだをこねるのとおなじように、あれを買え、これを買えというかもしれません。それから、おなじような意味で反抗《はんこう》したり、あまえを示したりするかもしれない。それをどの程度、親や家族が受け止められるか、

許容《きょよう》できるか。この許容度《きょようど》が大きければ大きいほど、回復も早いわけです。

そういうとき、手づくりで子どものためにしてあげることなら、可能なかぎりなんでもしてあげてほしいと、私はいつも思います。幼児の場合なら、おもちゃを買い与《あた》えることではなくて、おんぶやだっこをして、子どもの満ち足りないでいた部分を補《ほ》充《じゅう》してやってほしいと私は思うのです。

ところが、思春期や青年期の若者を、親がおんぶやだっこはできないですね。なにをするのかというと、心をこめた手づくりの食事を、子どもの好みに合わせて、できるだけ根気《こんき》よくつくってあげる。ふだんから「なにが食べたいの」と、折りにふれて聞いてあげる。そしてあのとき、「僕はカツオのタタキが食べたいといったから、お母さんは買っておいてくれたのだ」、と思えるような食事が日常的に用意されている。ぜいたくをすることでは、まったくありませんけれども、心がこもった食卓というのは、非常に重要だといつも思います。本当に私はそう思います。それは子どもに生きていく力と実感を与《あた》えるものです。生命のたいせつさを感じる力を与《あた》えるものでしょう。だから私は、親がお弁当をもたせて、幼稚園や学校に通《かよ》わせるのがいいと思っています。

食事をいいかげんにしなければ、それだけでも子どもの心のなかに、人と自分への信頼《しんらい》の気持ちは育ちますよ。これはぜいたくをすることとはまったくちがうのです。何品もたくさんおかずを用意するということではなくて、家族の気持ちをいやすというか、輝かせるというか、僕の好み、私の好みがいつも食卓にある、家族のだれかの

好みが順ぐりに食卓にでてくる、そういう食事を心をこめて用意をすることなのです。

このことは毎食、毎日のことですから、小さな心がけが大きな成果を生むわけですね。家族の機能とか育児とか教育というのは、短期間の特訓《とっくん》なんて、ぜったいないのです。短期集中講座なんてないのです。これはひとつの例でありますが、このような小さな持続的な心がけをすることが、とてもだいじなことだと思います。

持続的で習慣的な心がけのない育児なんて、育児や教育の名に値《あたい》しません。それは子どもに心がけさせることではなくて、あくまで親自身のほうが、一方的に心がけていれば、それでいいことだと思います。「おふくろの味」というようなものは、おそらく、人格の中核《ちゅうかく》の一部としての人間味のようなものを育てるのに、大きな力になっているのだと思います。

子どもの精神科の医者として、お母さんやお父さんにお願いしたいことは、子どもの笑顔や喜ぶ姿に、ご自身が喜べるご両親であってほしいということです。親の希望どおりのことを、子どもがしてくれることに喜びを感じるのではなく、子どもの希望にこたえられることに、幸福を感じられる親であってほしいということです。

「人間」の本当の幸福は、相手の幸せのために自分が生かされていることが、感じられるときに味わえるものです。このことは本当に本当です。自分の幸せばかり追求《ついきゅう》することによって得られる幸せなど、本当の幸福ではけっして、けっしてないのですから。

あとがき

人間は社会的な存在であるといわれます。社会的とは、人と人がたがいにまじわり合いながら生きていくことでしょう。そのまじわり合いのあり方が、人間、一人ひとりの生きがいや幸せを決めているとも思えます。

「人間」という文字をじっとみていると、人は人に支えられながら、人に寄りかかって生きていて、しかも人は人びとの間にいて、はじめて人間になるという意味がしみじみ伝わってきます。この文字をつくりだした先人《せんじん》の英知には、ただ、頭《こうべ》を垂《た》れる思いです。

私はいつも、人のためになにかをすることが、じつは、自分のほうが豊かに生かされているのだと実感するのです。そのことによって大きな幸せを感じることができるということを体験してきました。自分がやりたいことだけを優先させてやっているという生き方のなかには、幸福を見いだすことはできないということを、教えられる半生だったような気さえします。

親は目の前にいるわが子のために、なにかをしているときがもっとも幸福であり、子どもの幸せそうな笑顔に、はげまされて働けるのだということを、私は三〇年ちかくも体験し続けてきました。

おそらく、詩人や小説家、画家や音楽家も、建築家や俳優も、自動車やコンピューターや農作物などをつくっている人びとも、みんなが自分たちのつくりだした作品や製品が、ひとりでも多くの人たちに喜びをもってむかえられたときに、自らも幸福や生きがいを感じることができるのだと思います。町の清掃《せいそう》にたずさわる市町村役場の人たちや、タクシードライバー、鉄道員、スーパーマーケットや銀行など、さまざまなところで働いている多くの人も、自分たちの働きによって生かされる人たちのことが実感されるときこそ、生きがいや職業上の喜びを感じるのだろうと思います。

そして、人びとの喜びによって自分が生かされるという場合、すぐ目の前にいる人たちのことが、たいせつであることはいうまでもありません。けれども、つぎの世代の人たちのことを考えることも、人間としてどれほど価値のある大きいことか、そのことは、生命を与《あた》えられたものに課せられた、最大の使命であるといっても過言《かごん》ではないと思います。

つぎの世代の人たちのことを考えるということは、同時に自然のなかで生かされている人間にとって、きれいな水や空気、豊かな緑、そして、ともに生きる生物へも目を向けるということだと思います。つぎの世代に河川や森林や山などの美しい自然を残すこと、野生動物の保護やエネルギー消費の節約などについて考えていくことも、今日《こんにち》の人類にとって大きい役割だと思うのです。

そして最後に、私たちにとって、つぎの世代を生きる子どもたちを、豊かに健《すこ》やかに育てるということこそ、もっとも価値の大きい役割であり、使命であると強調しておきたいと思います。つぎの世代の命を思うことをしないで、私たち自分自身の命の完成などありえないのです。

もしかすると今日《こんにち》、私たちは地球環境《かんきょう》をこわし、子どもたちの明日を思いやらず、その結果、自分たちの命（人生）をも傷つけ続けているのではないかと思うことがよくあります。相手を思いやらずして、自己実現などないのです。そのことは「人間」という文字の形や意味が示しているように、人間の宿命ともいえると思います。子どもをたいせつに育てることは、大人自身がそのような意味で、自分をたいせつにして生きていることなのだということに、まだ気がついていない人がいたら、この本によってひとりでも多くの人に早く気がついていただきたいと、心から願っています。

私は三〇年以上も前から、子どもの臨床《りんしょう》にたずさわりながら、保育園、幼稚園、学校、児童相談所、養護施設《しせつ》、家庭裁判所、保健所、教護院、母子ホームなど、地域社会のあちこちの施設《しせつ》や機関をたずね歩いてきました。そしてそこで、多くの不幸な子どもや親子に出会い、話し合いを続けてきました。その体験をとおして、漠然《ばくぜん》と感じていた彼らや彼女たちの不幸の度合《どあ》いが、近年になって急に、年をへるごとに大きくなっていることに、はっきりと気がつくようになってまいりました。

そういう子どもや親をとりまく問題を、保育の現場で働く保母さんや幼稚園の先生方と共有するために勉強会を続けてきました。二〇年以上前にはじまった東京の狛江《こまえ》市の保育園の保母さんとの勉強会をはじめに、神奈川県の各市町村、広島県の福山市、岡山県の倉敷《くらしき》市などでも、子どもを育てるための勉強会を、定期的にあるいは不定期に続けてきました。保母、幼稚園の先生、保健婦、教師、そして一般《いっぱん》市民の人たちが、仕事の終わったあとに集まってくださり、夜おそくまで勉強会や話し合いを続けてきました。その勉強会はもう千何百回にもなるでしょう。

この本はそのような勉強会のひとつで、横浜市公私立保育園自主勉強会「佐々木セミナー」での二〇回ちかい講演録を読まれた、福音館書店の編集部の方がまとめるようにすすめてくださったためにできたものです。

編集部の人たちの、ぜひ多くの人たちに読んでほしいという、熱心で忍耐《にんたい》づよいはげましにもかかわらず、私の多忙《たぼう》と怠慢《たいまん》が重なって、本書はその出版が予定よりずいぶんとおくれてしまいました。佐藤勉氏と土田範彦氏の強力なご援助《えんじょ》がなかったら、けっして生まれることのなかった本です。

本書が出版されるにあたって、まず、さまざまな場で出会って、話し合いを続けてくださった子どもたちとそのご両親、そして、勉強会をともに続けてくださった保母さん、幼稚園の先生、そし

て多くの方々、とりわけ本書のきっかけとなりました、「佐々木セミナー」の参加者の方々に心からお礼を申し上げます。

すばらしい画を描いてくださった山脇百合子さんに、感謝申し上げます。

また、中川李枝子さんには、静かなはげましをいただき続け、幸福なことでした。

最後に、私が一九六六年春、新潟大学医学部を卒業して上京し、東京大学での精神医学の研修をはじめて以来、今日《こんにち》まで遅々《ちち》として進展も開花もしない、私の児童臨床《りんしょう》の活動を、じっと見守りみちびき続けてくださった、恩師、臺《うてな》弘先生に本書を捧《ささ》げることを記して、あとがきの言葉といたします。

佐々木先生の子どもへのまなざし

中川李枝子（作家）

母親、父親、保育者、幼稚園の先生たちに、乳児期、幼児期の子どもを育てるという仕事の価値の大きさと責任の重さを、諄々《じゅんじゅん》と説く佐々木先生のまなざしは、きびしく、するどく、けっしてあまくも感傷的《かんしょうてき》でもありません。けれども、とてもあたたかです。というのも、先生は全身これ子どもへの愛のかたまりみたいな方だからでしょう。

子どもは人とふれあいながら育つことがだいじだ、とおっしゃる先生の講演を、ぜひ本にしていただきたいと願っていましたら、私とおなじ願いをいだく熱血編集者が二人もあらわれ、二〇回におよぶ講演会での先生のお話が、みごと活字になりました。子どもに直接かかわり合う人はもちろん、関係ないと決めこんでいる人にも必読の書と思います。

子どもはいろいろな人に出会って、育っていくのです。子どもの問題は、私たちみんなで考えて

いく、地域社会全体の問題ではないでしょうか。

それにしても、タイトルにもなった佐々木先生の「子どもへのまなざし」の、なんてやさしいことでしょう。先生は根っからの子ども好きでいらっしゃる。とくに先生の目をとおしてみる、乳幼児期の子どもの数々の特徴的愛らしさには、保育園の保母の経験をもつ私など、わが子をふくめ、あの子やこの子を思い出し、そう、そうと、うれしくて頰《ほお》がゆるみっぱなしになりました。

先生によれば、愛情の与《あた》えすぎで子どもがだめになった例はないそうです。子どもの望むことを望むとおりに、かなえてあげるのは申《もう》し分《ぶん》ない子育てで、だっこも、おんぶも、散歩も水遊びも、ねだられたら、喜んでとことんつきあえばよく、子どもの気持ちを考えない、大人の一方的な過剰《かじょう》干渉《かんしょう》こそ非常に危険だそうです。

この本は講演でのお話をまとめたものなので、読んでいても耳から先生のお声が入ってきて、先生が念をおされると思わずうなずき、ときには壇上《だんじょう》の先生と視線が合ったかのようにドキンとします。これこそお人柄《ひとがら》そのまま、なまで聞く魅力《みりょく》、迫力《はくりょく》でしょう。先生も聞き手の反応を確かめながら、ていねいに具体的に明快に話して下さいます。おかげでエリクソンやエムディの高度な学説もちゃんと頭に入りました。

それもこれも先生が象牙《ぞうげ》の塔《とう》から天下を睥睨《へいげい》する方でなく、混沌《こんとん》とし複雑な人間世界を足まめに歩く、フィールドワークのお医者様だからと思います。おまけに好奇心旺盛《おうせい》、意欲満々、性能のよ

いアンテナもおもちで、じつによく人間観察をしていらっしゃる。そのエネルギーはまさに疲《つか》れ知らずの子どもなみ、そしてユーモアのセンスはとびっきりです。そう、ユーモアぬきではとても子どもと対等につきあえませんもの。

児童精神科医である先生は、子どもの心を傷つけ、ゆがめ、人としての成熟《せいじゅく》をさまたげる要因となる、子や親をとりまく問題を保育者とともに勉強する会、保健婦、教師、一般市民とともに子どもを育てるための勉強会など、いまも精力的に続けていらっしゃいます。

私が佐々木先生のお名前をはじめて知ったのは十数年前、カトリック幼稚園連盟《れんめい》発行の一八ページ、一部たった二五円の月刊『ひかりの子』に執筆連載《しっぴつれんさい》していらした、「子どもの心とからだ」を読んだのがきっかけでした。子どもの心身の成長について急所をおさえ、正しい知識を与《あた》えてくださる先生の文章は、真剣そのものでありながら、子ども一人ひとりに密着取材《みっちゃくしゅざい》したのかと思うほど、生き生きとしておもしろく、私は毎回、心待ちにしていました。そして読むたび日本中のお母さんにも、この先生のお話を伝えたいと歯がゆくなるのでした。先生のお話を聞くことができれば、きっと子育ての不安や悩《なや》みは解消し、親も子も幸せになれるでしょう。

『子どもへのまなざし』が本になって、私はとてもうれしく、また、とてもほっとして安心したところです。

佐々木正美（ささき・まさみ）

一九三五年、前橋市に生まれる。幼児期は東京で育ち、第二次世界大戦中に滋賀県の農村に疎開し、そこで小学校三年から高校まで過ごす。高校卒業と同時に単身で上京し、信用金庫などで六年間働いたのち、一九六二年、新潟大学医学部医学科に編入学、一九六六年、同校を卒業。その後、東京大学で精神医学を学び、同愛記念病院に勤める。

一九六九年、ブリティシュ・コロンビア大学に留学し、児童精神医学の臨床訓練をうける。帰国後、国立秩父学園を経て、小児療育相談センター（横浜市）に二〇年勤める。この間、東京大学精神科、東京女子医科大学小児科、お茶の水女子大学児童学科で講師を勤め、ノースカロライナ大学精神科TEACCH（自閉症治療教育プログラム）部に学びながら共同研究に協力して一七年になる。専攻は、児童青年精神医学、ライフサイクル精神保健、医療福祉学。

現在、川崎医療福祉大学教授（岡山県）、横浜市リハビリテーション事業団参与、ノースカロライナ大学臨床教授。著書に『児童精神医学の臨床』（ぶどう社）、『自閉症療育ハンドブック』（学研）、『エリクソンとの散歩』（子育て協会）など多数。東京都町田市在住。

子どもへのまなざし

NDC599 324ページ 21×16cm
ISBN4-8340-1473-8

発行日 一九九八年七月一〇日 初版第一刷
二〇一四年八月 一日 第 五六 刷

著者 佐々木正美
画家 山脇百合子
デザイン 安富映玲奈

発行所 株式会社 福音館書店
〒一一三-八六八六 東京都文京区本駒込六-六-三
電話 〇三-三九四二-一二二六（販売部）
〇三-三九四二-六〇一一（編集部）

印刷 精興社
製本 積信堂

With a Warm Look Toward Children

Published by Fukuinkan Shoten Publishers, Inc. Tokyo, 1998.
Printed in Japan
http://www.fukuinkan.co.jp/